El verano de la serpiente

Cecilia Eudave

El verano de la serpiente

El papel utilizado para la impresión de este libro ha sido fabricado a partir de madera
procedente de bosques y plantaciones gestionadas con los más altos estándares ambientales,
garantizando una explotación de los recursos sostenible con el medio ambiente y beneficiosa para las personas.

El verano de la serpiente

Primera edición: enero, 2022

D. R. © 2021, Cecilia Eudave
Publicada mediante acuerdo de VF Agencia Literaria

D. R. © 2022, derechos de edición mundiales en lengua castellana:
Penguin Random House Grupo Editorial, S. A. de C. V.
Blvd. Miguel de Cervantes Saavedra núm. 301, 1er piso,
colonia Granada, alcaldía Miguel Hidalgo, C. P. 11520,
Ciudad de México

penguinlibros.com

ISBN: 978-607-380-273-4

Impreso en México – *Printed in Mexico*

A Carmen Herrero Alemany, eterna

Para Carmen Alemany Bay,
por seguir, por resistir
una dolencia de melancolía
por la ausencia del aire de su viento

I

El año de 1977 fue insólito, lo supe desde antes del verano porque en Miami nevó por primera y única vez. Ese acontecimiento se ancló en mi cabeza, quizá la culpa la tuvo Consuelo, quien llamó a mi madre lanzando gritos e improperios: "fui buscando sol y me tocó nieve", repetía una y otra vez. Mi padre vociferó: "esos gringos, con tanta bomba nuclear que explotan en el desierto de Nevada, están cambiando el clima, ¿qué esperaba yéndose allá? Para playas bonitas las del Caribe mexicano". Cruzó los brazos ensombrecido y advirtió que si se interrumpía la comunicación ni se le ocurriera devolverle la llamada. Mamá asintió con la cabeza, mientras le recomendó a su amiga tomar un Valium, comprar un abrigo y disfrutar del inusual clima. Eso lo tengo muy presente porque papá se enfadó desde temprano al leer en el periódico que los Estados Unidos preparaban el lanzamiento del trasbordador *Enterprise*: "no pudieron escoger otro nombre, caray, a joderme el recuerdo de la serie". A él nunca le cayeron bien los *yankees*, decía que tenían por consigna conquistar el espacio, acabar con los recursos de otros planetas y disparar proyectiles atómicos a diestra y siniestra. "Los conozco bien, hija, ellos solo se quieren a sí mismos". Él estuvo del otro lado, antes de casarse con mamá, estudiando una maestría en traducción. Cuando regresó jamás quiso hablar de su estancia en suelo estadounidense, se trajo de allá una cicatriz en el hombro izquierdo y un pesado resentimiento.

Sé que fue un año inolvidable porque en el mundo iban pasando o pasarían otras cosas: el Pompidou se inauguró en París, se firmó la carta 77 en Praga reclamando derechos humanos y civiles; se sacudió la tierra en Rumania matando a mucha gente, Augusto Pinochet disolvió los partidos políticos en Chile para asentar su dictadura; las Madres de la Plaza de Mayo iniciaron su primera marcha frente a la Casa Rosada, Yubuti se independizaba de Francia —¿dónde queda Yubuti?—, y atraparon al asesino serial apodado "El hijo de Sam". Murió Elvis Presley, y en homenaje sentido a su insigne hijo, comentó con sarcasmo mi padre, U.S.A. revienta otra bomba atómica, la *Scupper*; poco después lanzaría el *Voyager 2*. Se estrenó *La guerra de las galaxias,* y aunque en ese mismo año se llevó a la pantalla *Suspiria* de Darío Argento y *Eraserhead* de David Lynch, mi hermana Ana y yo fuimos condenadas a las premier de *Bernardo y Bianca, los rescatadores* y *Encuentros cercanos del tercer tipo.*

12

Se le confería por fin la soberanía a Panamá sobre ese canal que siempre debió ser suyo, al tiempo que Pelé jugaba su último partido en el New York Cosmos. Mi padre se negó a ver, escuchar o leer cualquier cosa sobre el asunto: "¿por qué retirarse ahí?, ¿por qué?"; herido por ello guardó su colección de estampas del Mundial del 70. Le reconfortó la aparición del nuevo disco de David Bowie, *Héroes*, el avión supersónico *Concorde* y el Atari 2600. En otra parte del planeta los países africanos siguieron en batallas con sus respectivas masacres, como si la erupción del Nyiragongo fuera una señal o un permiso para derramar más sangre. ¿Quién dijo que todo tiempo pasado fue mejor? Muere Charlie Chaplin en este futuro "moderno" y, como un preludio de su despedida, los gringos detonan otra bomba, la *Rib*. ¿Aquí? Sale a la luz el Plan Nacional de Planificación Familiar, porque ya éramos muchos y muy violentos.

Y mientras el mundo se caía o se caería a pedazos, yo ajena a lo que sucedía me encontraba en la feria de la parroquia de San Antonio, aterrada, en primera fila, presenciando el espectáculo de la muchacha serpiente. Atónita, sin importarme nada más que la tragedia de una pobre chica que fue transformada en culebra por desobedecer a sus padres, por no escuchar consejos ni estudiar, por huir de casa y desear. Yo todavía era una niña y lejos estaba de imaginar que aquella cabeza humana de adolescente, de la que se desprendía a la altura de la nuca un cuerpo de víbora de cartón piedra mal hecho, recubierto de pieles de muda de serpientes varias, castigada por mala, era una invención, un truco barato para asustar. O, quizá, porque la maldad es barata y todos la compran.

Pese a las risas o la incredulidad de muchos de los asistentes, yo me atrapé en esos ojos agotados, tristes de repetir la historia, real o ficticia, de una muchacha que se arrastra por el mundo enroscándose en su malignidad. Al finalizar sus confesiones lloró. Su llanto, ahora que lo recuerdo, parecía grabado y salido de unas bocinas reventadas por el uso. Sin embargo, a mí me parecía tan verdadero como esa lágrima que brotó de su rostro justo antes de que dos hombres salieran, de atrás de unos cortinajes color café con ribetes de un dorado deslucido, a tapar con una manta de motivos tropicales la caja de cristal donde ella se retorcía sin mucho ritmo.

Me descubrí arrollada por el triste relato de esa jovencita que una mañana fue conducida hacia las sombras. Mis emociones iban y venían en el mismo zigzag oscilante que su cuerpo de serpiente hasta que un tercer sujeto de aspecto desagradable, desaliñado, nos invitó con micrófono en mano a pasar a la otra sección de la carpa a conocer los reptiles de la zona y a comprar,

si queríamos, un presagio, al parecer la muchacha también era pitonisa.

Sin soltar la mano de papá recorrí con poco
entusiasmo ese salón vetusto, olía a aserrín
sucio, a sudor, a humedad. Ana, por el contrario, salió del letargo que mostró durante el espectáculo y con desbordada emoción pegaba su
cara a las vitrinas hipnotizada por aquellas criaturas. Las escasas peceras contenían una "exótica" colección que apenas contaba con un par
de tarántulas, un coralillo, un escorpión negro,
una cascabel y una pequeña cobra. Esta parecía,
a diferencia del resto de sus compañeras, la más
joven o la menos exhibida, se agitaba nerviosa.

—Se violentan porque quieren morder, espar-
cir su veneno. Se agitan en deseo, es su naturaleza.

—Qué veneno va a tener esa culebra —gritó
un espectador.

El hombre del micrófono se arremangó
la camisa, buscó un vasito que tenía próximo a la
pecera.

—Verá usted —y antes de hacerlo sentenció
dramáticamente—, si hay gente sensible tapen
sus ojos o salgan de la carpa, no soy responsable
de lo que pueda suceder.

Nosotros nos quedamos, el resto del público también, siempre ha podido más el morbo
que el temor. Después de tantear a la cobra, de
azuzarla, se irguió y mostró su magnificencia. El
hombre retiró su mano asustado:

15

—Está muy brava, hoy no es un buen día.

Se percibió el desencanto general, el mío era mayor, me hubiera gustado observar en vivo cómo extraían el veneno blanco y espeso; también que Lola, la novia del tío Carlos, estuviera ahí explicándonos con detalle la vida de esos reptiles. Ana le pidió a papá que diéramos otra vuelta para ver más de cerca la cobra que seguía enfadada, con la cabeza en alto y balanceándose amenazante.

—Esta es bonita, me gusta más que la que tiene sonaja. ¿Me la compras?

—Las serpientes no son mascotas.

—Monika tiene una boa, por qué yo no puedo tener una chiquita como esta.

—Porque no y punto.

—¿La puedo acariciar?

—¿No oíste que es venenosísima? —Ana iba a comenzar un berrinche, mi padre la cortó en seco—. ¿Quieres una víbora o subirte a los juegos?

Mi hermana lo pensó unos segundos y eligió los juegos mecánicos. De a poco abandonamos el lugar. Antes de salir estaban vendiendo los presagios, descubrían la caja donde guardaban a la muchacha, y esta, al mirarte a los ojos, te ofrecía un mensaje del futuro. Le supliqué a mi padre con todas mis fuerzas que me comprara uno:

—Por favor, por favor.

—Que no, Maricarmen, nadie sabe el futuro.

16

—Por favor, por favor, y ya no me subo a los juegos.

Pagó. Me percibió emocionada y no quiso cortarme esa ilusión. La chica movía la cabeza de un lado a otro observándome, demoró más que con los otros. Me sentí especial, como si una conexión hubiese crecido entre nosotras. Me sonrió, entornó los ojos hasta que le quedaron blancos y recibí mi augurio:

—Ve más allá de lo visible, déjate guiar por los ojos de la serpiente.

Papá y el señor desaliñado del micrófono se desconcertaron un poco.

—¿Eso qué es? —reclamó enojado.

El hombre sacudió la vitrina con violencia:

—Dale un bonito mensaje del futuro a la niña.

La muchacha serpiente se negó y yo no sabía qué hacer con esa frase más parecida a una sentencia que a una premonición. Se me llenaron los ojos de lágrimas cuando el hombre pateó con fuerza la caja, ¿por qué la maltrataba? La chica por primera vez se asustó, nosotras también.

—Que le des otro —disculpándose—. Estas criaturas del demonio a veces nomás responden así, a puro golpe —se agachó y le lanzó una mirada furiosa, después se dirigió a nosotros—. He visto en sus ojos que tendrás un verano lleno de sorpresas —me tomó del brazo, me acercó al vidrio que la contenía—. Fíjate bien en las pupilas de la serpiente, eso auguran.

Apreté la mano de mi padre, asustada:

—Mejor nos vamos.

—Como quiera, pero no le devuelvo su dinero.

Salimos. Yo quedé unos segundos aferrada a un sentimiento que no entendí, ni he olvidado tampoco, hasta que mi hermana burlona habló:

—Te quedaste sin subir a los juegos.

Mi padre siempre fue muy riguroso con sus normas, sus principios y fiel a sus desprecios, sin embargo se compadeció y me dio una moneda para comprar un dulce de algodón, aclarando con ello que no iba a subir al carrusel ni a dispararle a los patos, había preferido un augurio. De regreso, pasé por la carpa de la muchacha serpiente. Estaban cerrando, recogiendo las sillas, asegurando las lonas. Cuánta tristeza me daba imaginarla dentro de su caja de cristal sin poder ir a ninguna parte, cubierta día y noche con un pedazo de tela con motivos amazónicos que solo se retiraba para las funciones. Ese hombre despreciable la trataría mal, tal vez jamás ha probado otra cosa que roedores, arañas, sapos o trozos de carne. Miré mi algodón de dulce y por un momento pensé en dárselo, en ser su amiga, porque yo sentí que una conexión especial creció entre nosotras.

Arrastrada por la pena me escabullí, llegué hasta la parte trasera. Descubrí una *camper* estacionada y pude distinguir la cabeza de la chica serpiente en una de las ventanas. Respiré aliviada, por lo menos no dormía en esa caja de cristal, un infierno húmedo y atroz durante el verano. No eran tan malos con ella, supuse. Quise aproximarme un poco más, cerciorarme de su estado, pero me detuvo un grito imperativo, violento: "ven aquí, animal del demonio". Reconocí la voz del hombre desaliñado de la carpa. Me llené de espanto y presencié cómo tomaba con fuerza la cabeza de la muchacha serpiente, al hacerlo pude distinguir también medio cuerpo, que descubierto de las pieles escamosas, desnudo, se parecía al mío. ¿Cómo era posible? Paralizada o desconcertada, una cosa lleva a la otra, observé cómo se agitaba frenética siguiendo, supuse yo, el ritmo de una danza reptilesca, iba hacia delante, hacia atrás. Yo solo podía distinguirla de la cintura para arriba mientras escuchaba los jadeos del hombre desaliñado, jadeos sumándose a un "sí, así, sí, sigue, buena chica…". Di un paso hacia atrás, tiré unos botes de basura en mi intento de huir y el ruido estrepitoso me expuso. El algodón de dulce cayó al suelo al tiempo que ella me clavó su mirada vacía mientras lanzaba un grito que no era de espanto y entornaba los ojos hasta quedar en blanco como si fuera a lanzarme otro presagio o una sentencia.

19

II

No sé qué hicimos para merecernos una fantasma. Cada uno de nosotros ha reflexionado, no pocas veces, cómo la adquirimos, por qué se pegó a esta familia y nos siguió a todas partes. Fue agotador. Al principio no entendíamos muy bien su naturaleza, porque no siempre estuvo con nosotros y porque no somos expertos en fantasmas. Apareció de pronto, sin motivo aparente, asustada y dispersa. Si era inevitable tenerla, nos hubiera gustado elegir el espíritu de alguna vieja casona, de esos que arrastran cadenas, se lamentan hasta el infinito, trituran la razón por las noches erizando las conciencias mientras van dejando, a veces, una estela de hedor taciturno al que uno llega a acostumbrarse; tal vez estaríamos conformes si únicamente moviera cosas o las ocultara. Incluso nos enteramos de que algunos solo aparecen en las fotos familiares porque les gusta figurar, son vanidosos y es una manera de encajar con las personas, con el tiempo.

No, nuestra fantasma no era así.

Si bien parecía insidiosa, rayando en impertinente, para fortuna nuestra descansaba por las mañanas. Cinco o seis horas matinales eran un intenso oasis temporal aprovechado al máximo. Durante ese lapso nuestra cotidianidad transcurría serena, nos despejábamos el sueño y nos preparábamos para ir a trabajar o al colegio. Nos gustaba demorarnos en nuestro aseo personal, cocinar de manera elaborada el desayuno. El buen humor nos invadía, nos gastábamos bromas, reíamos y reíamos. Otras veces, comentábamos nuestro enfado, orillados por las desveladas involuntarias a las que éramos sujetos porque a la fantasma, de vez en vez, le gustaba sentarse al borde de las camas y contarnos sus relatos.

Desde que inició con esta elaborada forma de tortura fantasmal, debíamos ponerle sobrada atención o se montaba en una cólera incomprensible. Como si quisiera advertirnos de alguna tragedia dejaba caer esa mirada que se sabe en otra parte y nos absorbía por completo. Siempre creímos que, aunque habita este plano dimensional, poseía la habilidad de estar en varios a la vez y desde ahí narraba. No le gustaba que interrumpiéramos su soliloquio, tarea difícil, porque en ocasiones sus historias resultaban muy elaboradas y necesitábamos que nos proporcionara detalles fundamentales. Era pura ambigüedad arrojándonos al borde del miedo o de la frustración. Hasta ahora seguimos recordando cuando nos contó la historia acerca del hombre que colgaba a su perro: *el fox terrier con los ojos bien abiertos, su cuerpo pendía del árbol sujeto a la correa atada con rigor a una de las ramas. El collar apretaba su cuello y lo hacía levantar la cabeza para no asfixiarse. Las patas delanteras y traseras inmóviles para mantener el equilibrio. Él, de pie, inmutable, fumando un cigarro, observándolo. Daba caladas profundas, sacaba el humo que iba directamente a parar a la cara del animal que al sentir el contacto se agitaba un poco. Parecía tenerlo controlado. Siempre igual, siete de la tarde, todos los días, salvo los domingos, el hombre regordete con cara de niño simplemente se deleitaba torturándolo...*

En el momento más álgido de la narración se detenía y se marchaba dejándonos sin desenlace. Desesperados, carcomidos por escuchar el final, íbamos detrás de la fantasma, si la suerte nos favorecía la encontrábamos, pero ya no hablaba, se había mimetizado con una silla, con un ropero o con una lámpara. Al más pequeño de nosotros le encantaba su capacidad de mutación. Nos comentó años después que en ningún lugar del mundo sintió más paz que cuando se sentaba sobre las piernas de la fantasma y apoyaba la cabeza sobre su pecho.

Sí, nuestra fantasma era dulcemente camaleónica, a veces.

Nos hubiera encantado un espectro convencional, la verdad, de esos que salen en las películas: llamas a algún experto y te los sacas de encima. Acá vinieron varios, muchísimos, cargados de esperanzas, de promesas, de liberación. Lo único que consiguieron fue alborotarle la impotencia o las ganas de deambular a cualquier hora. Incluso llegamos a descubrirnos por las mañanas algunos moratones o arañazos. El mayor de nosotros fue presa constante de sus cóleras, pero era el más fuerte también; nunca nos comentó en el desayuno la naturaleza de un ojo morado, se curaba solo los rasguños de la espalda que parecían lenguas de algún látigo maldito. Nos extrañó este cambio de comportamiento porque los fantasmas aterrorizan, mas son etéreos, no tienen manera de asirnos, traspasan paredes, levitan, susurran al oído sentencias terribles, son agresivos, nos quieren enloquecer, no sabíamos de su capacidad de maltrato. O lo suponíamos, hemos dicho que no somos expertos en fantasmas. "Se molesta porque habla y no la comprendemos, ¿quién sabe qué querrá decirnos?", lo creímos posible y seguimos con nuestras vidas.

Nos convencieron de que a veces a los aparecidos les viene bien cambiar de aire para bajarles la furia. Atendiendo a esta recomendación, nuestro padre decidió vender la casa de toda la vida y llevarnos a otra por el bien de la familia. Fue ardua la búsqueda, debemos admitirlo. Queríamos una casona vieja, húmeda, oscura y llena de fantasmas, del tipo que fueran —con el tiempo, si te mereces uno como la nuestra, te vuelves poco exigente— con tal de que estuviera en compañía, se distrajera, se relajara. Secretamente nos esperanzamos en que si confraternizaba con otros de su misma naturaleza se mantendría al margen y quizá hasta contenta.

No, nunca sonreía.

Nos mudamos a una finca inmensa situada en la colonia Moderna, en la calle Francia, justo en la esquina frente a una rotonda pequeña con una enorme palmera en el centro. Recordamos que cuando la vimos nos sorprendió porque las otras cuatro casas que la antecedían del lado izquierdo de la calle pertenecían a otra época, de los años cuarenta o cincuenta tal vez, y la de nosotros era un caserón salido de una historia inconclusa de finales del XIX. Una propiedad cuya arquitectura se resolvía en triángulo, a la que siempre le daba el sol, llena de ventanales por ambos lados, con jardines exteriores rodeándola, con la fachada blanca y con los ribetes de las ventanas en un azul ultramar muy sobrio. Era señorial, triste, perturbadora, aun así nos acogió con displicencia, incluso a la fantasma. ¿El interior? Desalentador y ambiguo, no podríamos decir ahora con certeza lo que despertaba en nosotros. A pesar de la cantidad de ventanas era tenebrosa, la luz entraba como espada que se clava en el mismo lugar debilitando el piso y nuestro ánimo.

¿Fantasmas?

Solo la nuestra y el rumor de que una boa andaba suelta por la cuadra. Para el verano lluvioso, caliente y escamoso de 1977, nosotros ya vivíamos en la calle Francia, íbamos a la parroquia de San Antonio, nos hicimos amigos de los pocos niños que habitaban esa zona de la colonia y continuamos nuestras vidas sin saber por qué nos merecimos una fantasma.

Sí, qué más da, la quisimos, la querremos, y aunque no podamos llamarla mamá, porque la nuestra murió hace mucho tiempo, sigue siendo, de alguna u otra forma, nuestra.

III

Con los ojos fijos en el techo pensó: *la atracción de los sexos empieza a manifestarse en el grupo de los gusanos.* Se levantó despacio de la cama, quedando al borde del sueño y la vigilia. Sentado en el vilo del despertar, le costó trabajo ponerse de pie, la pereza se la trajo consigo, no la pudo abandonar en la cama. Esa desidia que se le enrosca en el cuerpo como un hábito inapelable. Miró el reloj, y como de costumbre, se despertó tres minutos antes de que sonara la alarma. Durmió mal, siempre es igual, los nervios lo carcomen al inicio de un curso nuevo. Se miró en el espejo, repasó la frase con la que recibió la mañana, perfecta elección, un buen inicio para atrapar las mentes morbosas de los muchachos que se habían inscrito esperando mejorar la nota del semestre. Dos meses yendo tres veces a la semana a enseñar biología no era el mejor plan del verano.

Por la ventana del baño observó el cielo encapotado, llovería sin parar, por lo menos la mitad de la mañana; después, el calor sofocante a la carga quitándoles las ganas de estudiar a sus alumnos. No debería olvidar el paraguas. Con cierto temor, volvió a mirar el cielo, esta vez se detuvo en la enorme antena roja y blanca del canal 4. Desde su habitación, en la azotea, que era el cuarto de servicio de la casa de su hermana Sonia, la mole de hierro se erguía imponente y amenazadora. "Ojalá no se nos venga encima; si hay un terremoto como el de Rumania, seguro cae de este lado. La odio". Para colmar su angustia se imaginó bajando las escaleras a toda velocidad intentando ganarle a los primeros movimientos telúricos y sacar de la casa a Maricarmen y a Ana. Él las salvaría, es rápido, tiene buenos reflejos y sabe actuar bajo circunstancias extremas. Si han de sufrir una desgracia de esa magnitud, él es la mejor opción de rescate, porque para cuando su cuñado Esteban se percatara de la catástrofe, siempre encerrado en su estudio, sus sobrinas yacerían bajo una viga o atrapadas entre los escombros.

Salió del baño, se sacudió los malos pensamientos, observó su cama, se le antojó volver a la seguridad de su reino lleno de ácaros y bacterias, repleto de minúsculos seres que lo devoran día a día con un amor complementario e infinito en su ciclo reproductor. Sí —se dijo bajito—, Rostand, como tantos otros, no pueden estar equivocados: el amor en su aspecto más elemental se relaciona con la ingesta de alimentos, *se trata de una especie de hambre común a todo ser viviente, dirigida hacia su semejante que no es del todo idéntico y que le ofrece la misteriosa sugestión de lo desconocido.* Celebró su buena memoria, esa capacidad suya de impresionar a sus colegas con frases y citas sacadas de los lugares menos sospechados o más inadvertidos. Su fértil imaginación se deslizaba con naturalidad en sus clases provocando admiración entre los estudiantes de primer semestre. Se reconoció capaz de reproducir cualquier teoría pero, más aún, de innovarla. Sin embargo, eso no le valió de nada, no logró aprobar el examen con suficiente nota e iniciar la especialidad en Biología evolutiva. Le faltó ser convencional, el traje del éxito de todas las ciencias, de todas las artes, y fue condenado a las aulas, no a la investigación.

Es una lástima desperdiciar su talento impartiendo un curso de verano para obtener un dinero extra y largarse de la casa de su hermana. Necesita ahorrar un poco más, podrá mudarse o por lo menos irse de vacaciones a un paraje remoto, exótico, peligroso. La promesa de hacer un viaje a un sitio selvático cargado de arañas o serpientes venenosísimas es lo único que retiene a Lola a su lado. Ella sí consiguió su pase al futuro y va caminando firme, no como él que desde que nació solo ve escarcha quebradiza bajo sus pies, suelo mojado. Lo abandonará en cualquier momento, eso es un hecho, ya que Carlos es proclive a ir tras las faldas de las muchachas de servicio y las dependientas de las tiendas departamentales, no reconoce si eso es un vicio o una necesidad; o tal vez siguen de novios porque desde que se conocieron una atracción cefalópoda se apoderó de los dos. Libres de estrecheces mentales va uno detrás del otro, deseándose; o, esa es otra posibilidad, le gusta simplemente que él pase por ella a la facultad de especialidades en su Volkswagen, y la acompañe a las tertulias científico-literarias donde se comparten "alocadas ideas".

Las reuniones se llevan a cabo en la casa de dos hombres mayores, biólogos retirados muy reconocidos en su tiempo, maestros de ambos, que ahora se enorgullecen de sus injertos: cultivan rosales. Eran muy amables con él; de hecho, le consiguieron los cursos, pero les tiene manía porque uno de ellos, el más anciano, fue jurado en su tesis y no hizo mucho por defenderlo.

Terminó de vestirse. La lluvia caía sin mucha furia. Decidió cambiarse los zapatos, se descalzó los de estilo bostoniano marrones que le dan un aire importante, se dejó la playera en V muy moderna y el consabido saco con parches en los codos, que usa para entrar y salir de cualquier sitio, en el verano es imposible llevar algo más que una camisa corta. Respiró hondo, se miró en el espejo, sintió que daba la impresión de profesor a pesar de no llegar ni a los veintisiete años. Recogió los apuntes realizados ex profeso para impresionar a sus alumnos, los guardó en su portafolios. Buscó la pluma, regalo de su madre orgullosa de otro profesionista en la familia, y se topó con una botella de whisky, en ese mismo cajón de la izquierda, sobre su tesis.

Lanzó los hombros hacia atrás como si estuviera ante una peligrosa alimaña ponzoñosa. Sonrió. Ahora no solo se reprochaba haberla escrito y arruinado su carrera, sino que le temía a su propio trabajo afincado en la premisa de entender el porqué de la evolución; poco a poco, fue eliminando el hermafrodismo de especies más complejas como práctica amorosa de reproducción y convivencia. Fue controversial y quizá esnob, quería impresionar, pero sus profesores vieron en ello un escandaloso manifiesto contra natura: ¿lo amoroso como principio de progreso y sobrevivencia?, ¿las diferentes variables de amor, sexo y reproducción como generadores de especies más prósperas?, ¿felices?, entre otras aberrantes propuestas. La modernidad aparente de los setenta no le alcanzó y su futuro de biólogo evolutivo naufragó ante esas mentes crustáceas. Tomó la taza de su buró, tiró en el lavabo el resto de un té nocturno y se sirvió un whisky. Total, no hay horarios para los que no tienen sueño o sueños.

La tesis, ahora sobre su escritorio, se retorció amenazadora en sus recuerdos. ¿Le faltó rigor? o ¿un jurado menos retrógrado?, aunque debe de admitir que el menos duro de los cuatro fue el anciano retirado dedicado a los rosales. Este, al final, le dio una palmada en la espalda: "no estamos preparados para ver cómo ciertas células, aún en su ceguera, miran". Eso ¿qué fue? ¿Palabras de aliento? Si acaso lo eran, lo arrojaron más lejos de sí mismo, completamente desencajado, abatido, noqueado, en la lona. Su propuesta no era una loca invención, él solo retomó las ideas de Guyau. Cuánta razón tenía el filósofo al confirmar que ya desde la célula ciega se enuncia el principio de expansión que hace que como individuos no nos bastemos a nosotros mismos.

Siguió bebiendo mientras leía algunos párrafos, incrédulo de no haber tocado ninguna fibra sensible en esos doctores, eminencias caducas. No consiguió sensibilizarlos ni con su argumentación sobre los gusanos, que siendo hermafroditas, como la lombriz de tierra, no se fecundan a sí mismos, y van por ahí buscando el acoplamiento recíproco donde cada ser tiene al mismo tiempo el papel masculino y femenino. Y ¿la *bonellia*? Ese fue un gran ejemplo. Las larvas al salir del huevo son neutras desde el punto de vista sexual; cuando maduran, si pasan cerca de una *bonellia* hembra, se fijan a ella y se convierten en machos. En pocas palabras, el destino sexual de estos seres depende del azar del encuentro. Tampoco vieron en su trabajo las implicaciones no solo biológicas sino filosóficas, acaso de reproche a códigos morales por no leer la naturaleza o sus comportamientos desde una perspectiva menos reduccionista. No, ellos conciben cualquier acoplamiento solo como un acto de reproducción o sobrevivencia de especies.

Se sirvió otro poco de whisky, suavizó así el enfado al recordar cómo prefirieron ignorar su análisis sobre la tenia, las babosas y los caracoles, para crucificarlo en el capítulo dedicado a la reproducción del *nautilo* y su brazo copulador. Ahí explica, científicamente, la manera que tiene este pulpo macho de desprenderse de uno de sus tentáculos para que vaya por su cuenta a localizar una hembra. Hasta ahí el razonamiento pareció agradarles, se esperaban una vuelta al orden. Sin embargo, él se deleitó defendiendo la posibilidad de que el placer superara a la elección del brazo copulador más apto para la procreación en la hembra *nautilo* porque, y citó de memoria, *puede retener y alojar en su propio cuerpo muchos de esos penes vagabundos*. Aún le retumba en la cabeza el manotazo del presidente de su tribunal sobre la mesa: "es su naturaleza de reproducción, nada más"; a lo que él respondió tímidamente con un "sí, porque la naturaleza se construye y se edifica también en el deseo, en el placer".

Regresó la tesis al cajón, observó su reino entre las sábanas revueltas, le apeteció quedarse. No, mejor no, debía llegar puntual el primer día, dar una impresión de profesor respetable.

En realidad tenía ganas de encontrarse después del curso con Lola, y comentar el libro que le regaló, *Bestiaire d'amour*, esperando limar asperezas. Libro que lo llevó a escribir esa tesis y a preguntarse si esa *"propensión interna a unirse" no se produce también en la molécula del aire insensible e inerte* y nos fecunda, nos llena de placer, de emociones y hasta de pensamientos. Si ella le responde que sí, el verano apunta a expandirse en delicioso contagio.

IV

El azar no tiene argumento, va y viene a su antojo, por eso, cuando me tropecé con la fotografía que se deslizó de un viejo volumen, me vino de golpe aquel verano del 77. Fue la única que tomé de aquel suceso con la cámara Polaroid de mi padre y un día, por temor a ser descubierto, la escondí con premura en un libro sin prestar atención siquiera al título. Recuerdo la excitación, la espera detrás de los arbustos de la casa de Monika a que aparecieran sus protagonistas. La impresión con los años había perdido color, sin embargo, seguía elocuente, perturbadora. Volví a estremecerme con la misma intensidad de cuando era adolescente. Ahí estaba en un recoveco de mi memoria el fox terrier con los ojos bien abiertos, su cuerpo pendía del árbol sujeto a la correa atada con rigor a una de las ramas. El collar apretaba su cuello y lo hacía levantar la cabeza para no asfixiarse. Las patas delanteras y traseras inmóviles para mantener el equilibrio. Él, de pie, inmutable, fumando un cigarro, observándolo. Daba caladas profundas, sacaba el humo que iba directamente a parar a la cara del animal que al sentir el contacto se agitaba un poco. Parecía tenerlo controlado. Siempre igual, siete de la tarde, todos los días, salvo los domingos, el hombre regordete con cara de niño simplemente se deleitaba torturándolo.

Fue una casualidad que descubriera ese ritual sin aparente oficio. Por las fuertes lluvias de junio no se detenían los autobuses y me retrasé en llegar a casa. La calle desierta, el cielo oscurecido por el mal tiempo ofreciendo una tregua antes de otra tormenta. Me pareció extraño distinguir a lo lejos a un hombre gordo de pie bajo el árbol de mi vecina. Metí las manos en los bolsillos y pasé de lado. Al acercarme noté la figura mediana del perro que colgaba inmutable de una de las ramas más bajas. Cruzamos miradas. Él no se sobresaltó ni una fracción de segundo. Me costó trabajo sacar la llave, abrir la puerta de mi casa. Me encontraba nervioso o excitado tal vez. Me quité los zapatos —no debía mojar la alfombra—, corrí a mi habitación y desde la ventana podría observar a mi antojo. Al descorrer la cortina ya se iban caminando tranquilos. Anoté la hora sobre un papelito, me eché sobre la cama con las ropas húmedas —mis padres me lo reprocharían, no me importó—, sonreí complacido: esa tarde encontré, por fin, un buen proyecto veraniego.

Mis papás no acostumbraban salir de vacaciones, ni siquiera un fin de semana; tampoco me mandaban con parientes a tomar el aire del campo, ni permitían que dejara de estudiar durante ese periodo. A ellos la temporada vacacional les parecía un espacio-tiempo absurdo donde la gente cree estar liberada de responsabilidades, se relaja, baja la guardia, y cuando se vuelven a las labores propias de lo cotidiano: depresiones y más depresiones. Prácticos a morir, en casa se usaba lo indispensable, y a pesar de ser una propiedad muy grande, lo cual no encajaba con su sentido de practicidad, siempre defendieron que el espacio es el único lujo necesario. "Lo entenderás cuando la gente, en algunas décadas, viva en cajas mínimas donde solo cabrá el ruido o el desconsuelo. A más espacio limpio, pulcro, sereno —odiaban a los acumuladores y los lugares recargados—, mejores ideas". Sobra decir que mi padre era un brillante economista, mi madre una buena esposa, madre e hija, aunque tomara Valium a diario y se encerrara dos veces a la semana con el cura en el estudio de papá para expiar sus penas.

Entretenerme en el verano con proyectos de investigación se me ocurrió en quinto grado cuando un profesor nos aconsejó, durante la clase de ciencias naturales, observar el comportamiento de las mariposas, las abejas o las libélulas durante los meses de julio y agosto. Eso de indagar sobre insectos no me apetecía mucho. Lo intenté, debo reconocerlo, pero una mañana de domingo en el supermercado me enganché al "comportamiento" de una señora que cada vez que su hijo pequeño tocaba una cosa de las estanterías, quizá movido por la curiosidad o por sus formas, le golpeaba con la palma de la mano la nuca. No lo reprendía, simplemente, y de manera automática, le pegaba. El niño, dependiendo de la intensidad de la mano agresora, soltaba un quejido o un ligero llanto sofocado a su vez por otro manotazo. Le pedí permiso a mi madre para ir a la sección de revistas y los perseguí hasta que llegaron a la caja. Ese mismo día decidí que mi proyecto se enfocaría en dónde, cómo, cuándo y por qué la gente le pega a los niños. Descubrí que no me motivaba el morbo, sino una cuestión de carencia: a mí jamás me reprendieron con alguna agresión física.

Registré mis investigaciones en una libreta que hurté del estudio de mi padre —las compraba por docenas, todas idénticas, forradas en negro, las hojas sin líneas ni cuadrícula—: "El espacio en blanco del papel no distrae, no restringe ni hace ruido, ahí se recogen de manera inmejorable nuestros pensamientos". Lo fue, me liberé, encontré un verdadero propósito en mi primera libreta. No es de mis mejores trabajos, mas guarda el dulce encanto de ser el primero y por lo mismo se convierte en entrañable. Desde entonces, hasta ahora, ya iba yo encaminado a plantearme la tesis fundamental que ha marcado mi vida: ¿qué genera la crueldad? Y el caso del hombre que colgaba a su perro, traído por el azar a mis pies, marcó el inicio profesional de esa búsqueda.

Durante un par de semanas, atrincherado en mi habitación con unos binoculares nuevos que mi padre me compró tras convencerlo de que quería observar pájaros, perseguí cada movimiento de ese hombre regordete. ¿Por qué lo cuelga? ¿Qué sentía? ¿Lo disfrutaba? Siempre me fascinó que procediera de manera tan anodina, sin grandes aspavientos, sin movimientos dramáticos ni anunciando un clima de violencia. Acariciaba al perro antes de colgarlo, asegurándolo con fuerza de la rama, sacaba los cigarros Raleigh —lo comprobé husmeando las colillas—, encendía el tabaco con cerillos —utilizaba dos normalmente—, daba un par de caladas profundas y se quedaba ahí inmóvil, como el fox terrier, observándose mutuamente.

Me estanqué en mis razonamientos. A esa edad era fácil perderse en suposiciones. Reflexionando, descubrí que me faltaba otro punto de focalización, estaba enajenado en una sola perspectiva e involucré a Maricarmen, una vecina que vivía a dos casas de la mía. En realidad, pudo haber sido Monika o alguno de los muchachos de la casona siniestra de la esquina, donde se rumora que conviven con una fantasma; pero choqué con Maricarmen aquella mañana. Fue mi culpa, iba ensimismado en mis anotaciones y ella distraída en sus propios tormentos, supongo, pues nos dimos tremendo cabezazo. Se apresuró a recoger mi libreta, tímida y educada como era, y me la devolvió preguntando:

—¿Un nuevo proyecto?

—Sí, muy intrigante.

—¿De qué trata?

—Sobre un hombre que cuelga a su perro.

Señalé el árbol justo frente a la casa de Monika. Se lo comenté con tal naturalidad que la desconcertó un poco.

—Uriel, ¿es verdad?

—Sí.

—¿Por qué hace eso?

—Es un sádico. Le pregunté al cura y me dijo que alguien que tortura es eso, un sádico.

Se quedó callada, seguro esa palabra irrumpió en su vocabulario sin saber dónde colocarla. Guardamos silencio. Me miró atenta, esperando algo más; yo seguía quieto leyendo su reacción. En realidad sabía poco o casi nada de Maricarmen, iba un año más abajo en la escuela, éramos vecinos, a veces jugábamos en la calle y cuidaba a su hermana menor. Seguro en ese instante quería que la dejara en paz, le debió parecer horrible imaginar a un hombre haciendo eso. No me pude contener, retomé el tema insistiendo en que a veces el azar nos arroja a la deriva para ser testigos de la vida de los otros.

—¿A ti no te ha pasado nada parecido? ¿Tropezarte con la intimidad de alguna persona?

Se sonrojó. Sonreí, esperaba todo menos eso; era evidente, ella se tropezó con la intimidad de alguna persona. Lo comprobé cuando pronunció un no bajito sin más pretensión que ocultarse en su débil negativa. Sí, Maricarmen me llevaría al siguiente nivel.

Y la involucré en un juego confuso.

Le compartí mis investigaciones. Aproveché que hojeaba una revista mientras vigilaba a Ana que jugaba en el porche de la casa siniestra con Agustín, el más pequeño de los habitantes.

—¿Qué haces?

Cerró la revista, intentó ocultarla.

—Ah, te gusta *El hombre nuclear*.

Lo comenté porque sabía que le daría un poco de vergüenza y eso la orillaría a cambiar la conversación y preguntar por mi proyecto.

—Un poco. ¿Qué tal van tus investigaciones?

—Muy avanzadas.

Le llamó la atención el grosor de la libreta. En efecto, el asunto me obsesionó bastante y me volqué en registrar casi cualquier cosa que me pasara por la cabeza si se relacionaba con el hecho.

—¿Quieres verla? No se la he enseñado a nadie.

Asintió. Le mostré el cuaderno, seguro la sorprendió lo ordenado, pulcro, sin tachones, sin tinta corrida de mis apuntes. Las fechas, los dibujos y las…

—¿Mediciones?

—He descubierto que cada semana eleva un poco más la correa y el perro queda suspendido a más distancia del suelo.

—No te creo. ¿Por qué hace eso?

—¿Tú qué crees?

Levantó los hombros, excusándose. A su edad, como a la mía, no entendíamos muy bien los mecanismos de la tortura, ni la satisfacción que poco a poco va exigiendo más descargas de adrenalina. Me regresó la libreta porque Monika gritó desde su casa si nos gustaría nadar en su alberca. Maricarmen respiró aliviada quedándome claro que el tema la incomodaba, y le contestó que sí. Buscó a Ana, molesta notó que no jugaba en el porche y había entrado a la casa siniestra. Fue por ella. Decidí no hostigarla más, y me quedé pensando que la mesura nos ayuda a obtener mejores resultados tal como el hombre regordete hace con su perro.

No acosaba a Maricarmen, la necesitaba. Ella formaba parte ahora de un subproyecto que se ligaba al principal. Por eso desde mi ventana

48

espiaba sus movimientos también, y cuando veía la oportunidad de abordarla, de preferencia sola, salía disparado de casa.

—Ven, te voy a mostrar los últimos resultados.

—Uriel, me están esperando.

—Mira, estoy marcando con el compás las variantes de los últimos días en el árbol. Está acelerando el proceso, ha elevado el castigo a cinco centímetros.

—¿Castigo? ¿Es un perro malo?

—No, es un fox terrier muy tierno. Te lame las manos cuando lo acaricias. Es tan dócil…

—¿Cómo lo sabes?

—Me los encontré saliendo de la tienda. No me pude resistir. Me agaché y lo acaricié. Al gordo no pareció molestarle. Incluso me sonrió, "se llama Lucas", dijo. Fue amable, sereno, nunca te imaginarías que cuelga a su perro.

Jamás olvidaré su rostro, le debió parecer escalofriante que hubiera entrado en contacto con el animal, charlando con su agresor, y que mi voz solo manifestara entusiasmo. Nos detuvimos unos minutos frente al árbol y observó con más miedo que sorpresa las marcas. Después las palpó con las yemas de los dedos. Todavía siento ese estremecimiento, esas mariposas en el estómago, porque fue como si me hubiera tocado a mí. Notó la evolución de mi intensidad en las líneas marcadas con el compás escolar, que al principio eran débiles, poco profundas evidenciando timidez; pero conforme iba subiendo esa escala de sometimiento, se volvían más hondas, ansiosas, exaltadas. Lo que percibió en la corteza seguro la heló por dentro. Disfruté de su confusión, ahí los dos observándonos, ella sin idea de por dónde escabullirse, indefensa, pensando "¿por qué me haces esto, Uriel, por qué?".

—Intrigante ¿verdad? Si te contara dónde vive menos te lo crees. Hasta tiene hijos y le gusta regar el jardín.

—¿Lo espías?

—Lo seguí algunas veces, me aburrió. Lleva una vida muy monótona. Es bastante normal, gris. Eso me confunde, camina hasta encorvado, pero es cosa de que cuelgue a su perro y todo él es distinto, superior. Eso ya lo sabes, lo has visto, ¿no?

Pobre Maricarmen, subí de golpe la escala de mis preguntas.

Yo sabía que sí porque la espiaba agazapado detrás de una pequeña barda frente a su casa. Al hombre regordete y su ritual con el fox terrier los dejé en un segundo plano y durante una semana me dediqué a registrar en mi libreta las reacciones de mi vecina. La convertí en una espectadora arrastrada por una compulsión morbosa: necesitaba ver, saber. Siempre puntual, abstraída de su contexto, presenciaba cómo ese hombre colgaba al pobre Lucas. No perdía detalle: la cuerda enrollada en la mano, calculado el número de vueltas para amarrar al perro a la rama hasta finalizar con su cigarro. Maricarmen desde el ventanal de la sala, que le ofrecía la mejor perspectiva, se tapaba la boca, nunca los ojos por donde se le colaba el desconcierto. Con el paso de los días debió notar, como yo, que el hombre fue aumentando la altura del sufrimiento de su perro. Este se fue quedando sin correa, y la posibilidad de matarlo creció. Lo convirtió en un péndulo canino; lo empujaba con la mano un poco y el perro oscilaba de un lado a otro, retorciéndose. Nunca lo oí chillar ni ladrar, cumplía su papel de víctima a la perfección. Una vez concluido el ritual, lo descolgaba, acariciaba su cabeza con verdadero afecto, regresaban a casa. Maricarmen no pudo mentirme:

—¿Por qué no lo muerde? ¿Por qué no se escapa?

—A lo mejor le gusta. Como a mí y a ti mirarlos. El gordo lo sabe, estoy seguro.

—¿Sabe?

—Que lo miramos.

Entró a su casa sin decirme nada. Sonreí satisfecho.

Después de esa revelación se alejó del ventanal de la sala, seguro se prometió no sucumbir a esas imágenes nunca más. A mí me evitó, no volvimos a quedarnos solos, ella encontraba la manera de que eso no se diera. Tal vez debí insistir, importunarla con más decisión, abordarla con más fuerza. Algo me contuvo, quizá no era tan dócil como imaginé. Hacia el final del verano me la encontré en la tienda, no pudo escabullirse, la saludé sin mucho entusiasmo. Ella lo notó y me preguntó por "mis proyectos". Le comenté sin mostrar enojo por su repentina desaparición o abandono del caso, que el hombre que colgaba a su perro dejó de ir.

—Se rumora que a Lucas se lo tragó la boa que se perdió. Yo creo que el tipo al fin lo mató y le echó la culpa a la serpiente. Anda enfurecido: "si la encuentro, la mato", gritaba. Un sádico, te lo dije, un sádico.

Sonrío aliviada, como si mis palabras la liberaran de un peso que el azar le obligó a cargar. Sin embargo, no iba a dejarla ir, ella era una víctima imaginaria perfecta, y agregué:

—Lo que me gustaría saber —me volvieron a brillar los ojos— es a qué o a quién va a torturar ahora que el perro ya no está. ¿No te parece intrigante?

Se puso nerviosa y me dedicó una mirada desolada tratando de entender mi conducta. Maricarmen, ahora que ya no estás, me hubiera gustado decirte, pero ya no podré hacerlo, que en aquel momento yo tampoco sabía ni comprendía que a veces no existe una razón aparente para la crueldad, solo aflora o nos aguarda mientras algunos, agazapados, nos deleitamos en ella.

V

Mi padre se venía desvaneciendo desde hacía algún tiempo. Perdió el color de a poco y se mantuvo grisáceo dos o tres años hasta que decidió adoptar la condición de sombra o estar bajo el cobijo de ella. Eligió una gama de tonos monocromáticos, pasaba del oscuro más violento al gris más pálido, la intensidad de su existencia solo la percibirían aquellos que saben distinguir lo duro que es fingir ser color en el día a día. Él intentó, a veces, ser bicolor e ir del negro al rojo encendido. Su estado anímico, de calmo a iracundo, de indiferente a amoroso, intentaba ocultar su condición de ser inocuo frente a las grandes disyuntivas de su vida. Le temía a los colores, pero más al blanco. Ahora entiendo por qué estoy aquí, ante la insípida amonestación de la hoja de papel que tanto lo amedrentaba, intentando escribir y recordar o recordar y escribir. Lo primero que viene a la memoria es su voz de aquella mañana:

—A cualquier edad uno muere de vejez o lo envejecen.

Lo pronunció mientras doblaba la carta y la regresaba al sobre. Terminó de beber su café.

Apagó el cigarro. Se mordió el puño un par de minutos. Respiró hondo, observó el cielo. Sonó el teléfono, no contestó, lo dejó repicar. Fue a buscar su gabardina. Acomodó unos papeles en su portafolios. Se escuchó el grito desde la cocina de la mujer del aseo.

—Señor Esteban, le habla su esposa.

Fue cuando me descubrió parada en la puerta, inmóvil, con la certeza de que debía esfumarme, era un mal momento. No supe dónde esconderme, solo atiné a decir:

—Papá, te habla mamá.

—Dile que ya me fui y no vengo a comer —descolgó el auricular y me lo dio.

—Ya se fue. Sí, hace un ratito. No, no viene para la comida. No me dijo adónde iba. Adiós.

Me acarició la cabeza, era ya un hábito, lo hacía cada vez que nos encontraba a mi hermana o a mí por la casa; soltaba ese gesto amoroso y confirmaba cuán tangibles éramos. Bajó las escaleras rápidamente y cerró con fuerza la puerta. Me asomé por la ventana, solo percibí su sombra, inmensa y negra, proyectándose en la calle. No sería un buen día para él, estaba más opaco que otras veces. Cuando sucedía eso, los colores a su alrededor vibraban de una manera inesperada, los volvía intensos porque él, en su oscuridad, los resaltaba. Me recosté en el sofá con la intención de leer el último libro que me obsequió por las buenas calificaciones en la escuela.

Me encantaba esa parte de la casa tan tranquila. No leí nada esa vez. Recuerdo escudriñar su despacho con detenimiento, un desastre: libros, papeles por todas partes, diccionarios, electrodomésticos, cámaras, un par de televisores, calculadoras, cajas, más cajas, muchas cajas y juguetes. Podía demorarme horas ahí fisgoneando entre los objetos, a veces desarmados o en proceso de ensamblar. Un fantástico lugar donde se estimula la imaginación de cualquiera y se cazan historias escondidas entre las cosas porque cada una tenía algo por contar. Sí, él era genial salvo cuando bebía o lo alcanzaba la tristeza con una trayectoria fija pudriéndole la sonrisa. Ya he dicho que con los años de a poco iba quitándose la piel para dejarse la sombra.

Hablaba varios idiomas, hacía trabajos de traducción y quería ser escritor; mamá, por el contrario, era periodista de grandes reportajes. Mi padre de vez en vez mecanografiaba sus cuentos en una Olympia naranja, no debíamos molestar. Incluso aprendimos a distinguir el ruido de la campanita al cambiar de renglón, entonces disimulábamos nuestra existencia, nos movíamos despacito. Hasta el tío Carlos acataba esa regla no dicha. Mamá, en cambio, con su Smith-Corona verde agua escribía donde fuera, redactaba artículos sobre la situación del país o las guerrillas en África que enviaba a revistas y periódicos nacionales esperando que los publicaran, al tiempo que fungía como jefa adjunta de redacción en uno de los periódicos locales.

La casa era la oficina de mi padre porque tenía un trabajo fabuloso, o eso pensaba yo: él traducía manuales de usuarios o instructivos de aparatos muy complejos de cualquier parte del mundo. Incluso le pedían que los elaborara. Poseía un sentido de la abstracción, deducción y practicidad impresionante. Explicaba el funcionamiento de lo que fuera con simplicidad.

—Parece complicado, hija, pero es cuestión de adaptar los esquemas mentales de una lengua a otra y optimizar las instrucciones que hay que seguir. ¿Entiendes?

—No.

—Cada idioma determina cómo piensas, actúas o deseas. Al pedirme que reformule un manual, no solo lo traduzco, sino que lo interpreto. Es un trabajo, más que mecánico, creativo.

Me lanzaba una sonrisa intentando convencerse. En realidad, le hubiera gustado traducir poesía y no la lógica del funcionamiento y armado de una lavadora, mas eso no da de comer ni paga la escuela.

Un día, para ejemplificar y que me quedara clara la naturaleza de su oficio, me pidió que le ayudara a acoplar, siguiendo sus indicaciones, una pista Scalextric fabricada en México por

Exinmex, filial de Tente, una industria de Barcelona, creo, que contrataba los servicios de mi padre para revisar o reelaborar los instructivos. Con aire burlón me explicó:

—Maricarmen, aquí no podemos decir: *coja dos piezas de la pista e introduzca una en la otra con firmeza hasta ensamblar*. No, porque hay variantes de uso culturales que pueden confundir nuestro subconsciente —dio un trago a su cerveza riendo, se percató de que era demasiado pequeña, no entendí la broma—. Es una pena, comprobando las manufacturas de maquila de allá con las de acá, existe un pequeño desfase en las medidas, hay que forzarlas un poco, ves —y me mostraba cómo resultaba difícil embonar los segmentos—. Debo reportar esta irregularidad o incluirla en el listado de sugerencias para el consumidor con rojo escarlata: *en caso de dificultad para unir las piezas, persista hasta que a huevo entren*.

Volvió a reír y yo también. Acabamos jugando carreritas en la pista mientras él alababa los diseños con alerones de los autos hechos en México que además poseían colores muy vivos. Por suerte, los gachupines disculparon esa variable en la gama cromática de los patrones enviados porque descubrieron que la altura del Distrito Federal modificaba el resultado arrojando colores más brillantes. Con ello comprobé que él no odiaba el color, simplemente no podía retenerlo, por eso su relación con los colores se limitaba a un romance de contrastes.

Nos encantaba a Ana y a mí el trabajo de papá, a pesar de que él insistía en que tomó un sendero leproso que le carcomía la vida. Ahora lo entiendo, en ese momento no, porque cuando eres niña, es verano, y encima tu padre recibe cajas por correo con juguetes de la nueva temporada navideña, no puedes pedir más. A él le encomendaban diseñar o revisar los instructivos de un grupo de empresas extranjeras a su cargo, antes de imprimir y colocarlos en los paquetes de los productos que circularían en México y Centroamérica. Al principio, solo trabajó con Exinmex, y adaptó la serie Mar y Astro de construcción por bloques de plástico, estilo Lego, al gusto latinoamericano. Nos divertimos mucho armando barcos de guerra o trasatlánticos, módulos espaciales o transportes lunares, y él, por ayudar a la competencia a darle en la madre a los gringos. Nos vigilaba con mucha atención, pendiente de que siguiéramos su diagrama al acoplar los bloques. Si nos resultaba confuso nos ordenaba retirarnos y al día siguiente lo intentábamos de nuevo desde cero. A veces no era divertido, porque de pronto se nos ocurría inventar o agregar variables a las figuras sugeridas y nos reprendía, "esto no es un juego".

A mamá le preocupaba que tanto juguete de niño desorientara nuestra identidad, porque yo me empeñé en conservar en la habitación todos los modelos que armé e incluso jugaba con ellos: los Exin boys con trajes espaciales eran mis favoritos; debí ser astronauta, debí serlo y no estar escribiendo esta historia. Papá aceptó, poco tiempo después, movido por ese temor desproporcionado de mi madre, a trabajar con Lili Ledy, y nos condenó a las series Lili y nada de Ledy, cuando eran mucho más divertidos los juguetes de chicos que la horrorosa Fabiola, *la muñeca que camina por sí sola*. A mí me tocó probarla, Ana se negó rotundamente al encontrarse cara a cara con ese simulacro de niña de ojos fijos y una rigidez escalofriante. Mi padre le insistió, no pudo convencerla, y acabó berreando cuando vio que yo, siguiendo los lineamientos de uso, tomaba la mano de aquel ser de plástico hueco y la llevaba de un lado a otro como si fuera otra hermana.

Mas si de terror se trata, nunca olvidaré a Leonora y Graciela con sus discos intercambiables, con esas risas falsas, con esas conversaciones tontas; y si se mojaban, un corto circuito las convertía en merolicos repitiendo de forma diabólica una y otra vez la misma frase "¿Quieres ser mi amiga?". Por suerte, papá se apiadó, y cuando le supliqué que me regalara El hombre nuclear —yo era fan de la serie—, lo hizo. Una Navidad más tarde lo acompañó La mujer biónica, ambos quedaron satisfechos porque en mi cuarto descansaba el dúo de muñecos, y yo podía comenzar a experimentar la relación de pareja tradicional, aunque fueran dos seres mitad humanos, mitad máquinas.

Los habitantes de esa casa siempre nos vimos beneficiados del empleo de mi padre, aunque él lo llamara oficio de ovejamiento. Mamá se quedó con un par de cámaras instamatic réflex con sus *flashes* de cuadritos muy divertidos y cegadores; mi tío Carlos, con la primera calculadora solar de la compañía japonesa Sharp, papá tradujo por encargo para el bloque asiático algunos de sus productos. Por cierto, disfrutamos de las primeras televisiones a color coreanas de Samsung. Y mientras veíamos las caricaturas hipnotizadas por el sistema tricromático de secuencia de campos para la captación de imágenes, descubriendo por fin el color de piel de los personajes de los dibujos animados, papá con cerveza en mano se bebía la melancolía. Él en realidad prefería la imagen en blanco y negro, argumentaba que somos, en efecto, una gama infinita de grises circulando por el mundo. Sin embargo, instaló la Samsung en la estancia porque un mexicano, nacido en nuestra ciudad, inventó la tele a colores.

—Tenía 23 años, los grandes se despuntan jóvenes. Ya les había dicho —al tiempo que destapaba otra cerveza— que me hubiera gustado diseñar los manuales que la NASA utilizó al usar el sistema de televisión de González Camarena para transmitir la llegada del hombre a la luna —daba un trago poderoso a la botella—. Bueno, muchos creen que eso es el fraude del siglo, nadie ha llegado hasta allá, y que se grabó en un estudio de Hollywood. Da igual, el mérito está en que, si fue algo simulado, millones de personas se lo creyeron, y un mexicano ayudó a regalarnos esa ficción.

Antes de ponerse necio, cuando iba por la sexta o séptima cerveza, mamá lo llamaba a la cocina para prepararle algo de comer. Por supuesto no comía nada, lanzaba el plato con ira al fregador, se encerraba en su estudio. El silencio inundaba la casa con mucha indolencia, solo el ruido de la televisión y la campanilla furiosa de la Olympia naranja se pronunciaban entre nosotros.

Él se fue oscureciendo más rápido después de recibir aquella carta, que a la postre acabó de transformarlo; pero antes del verano ya comenzaba a dar señales de ensombrecimiento. Lo notamos cuando la abuela comentó lo orgullosa que estaba de que yo hubiera ganado el concurso de composición de fin de curso. No sé por qué escribí esa historia, que a la distancia me produce sentimientos encontrados, donde narraba la vida de una muchacha serpiente. Quizá por imitar a papá o purgarme de esta pérfida imaginación sin argumento. Tampoco entendí por qué a mi tío Carlos se le ocurrió esa noche impresionar con su sapiencia, y conociendo de antemano la irritabilidad de mi padre al tratarse ciertos temas como el de las cargas hereditarias durante la cena:

—Comprobamos contigo, Maricarmen, que el talento como las enfermedades o los vicios, los miedos, los gustos, las predisposiciones al estrés o a la vagancia, también se almacenan en el ADN. Aunque a veces brincan una o dos generaciones, como es tu caso: heredaste del tatarabuelo materno —enfatizó la palabra, que, en realidad, e ironías de la vida, escribió un manual de masonería— su buena escritura.

—Esas teorías son muy rebatibles —comentó mamá. Quería cambiar el tema o suavizar la arbitrariedad de su postura—. No me puedo creer que la ciencia lo determine todo. ¿Ya no tenemos escapatoria?

—Hermana, no me malinterpretes. Yo hablo del azar de los encuentros genéticos, de su evolución a partir de cruzas efectivas y dadas de manera natural. Si me dieran una oportunidad de volver a presentarme a la especialidad de Biología evolutiva me abocaría a ello. Mira a tus hijas, quién sabe qué información porta su ADN, a dónde las llevará, qué tanto puede

66

"determinarlas" el cruce de dos herencias vitales, la tuya con la de Esteban; ese intercambio celular, esa atracción de pequeñas cadenas proteicas ayudaron a formar su material genético. Ellas son el resultado de un acierto o un error de aparejamiento.

Mi padre no toleró la discusión, explotó antes de que finalizara la diatriba sobre el peso de las cadenas hereditarias que llevamos a cuestas. Esa tarde estaba de un gris intenso que cayó sobre la mesa contaminándolo todo, volvió incolora y sin sabor la cena.

—Ya voy entendiendo, ya me queda más claro, es culpa del ADN que tú no puedes dejar de ir tras la primera muchacha que se te cruce en el camino. ¿Habrá un largo linaje de libidinosos en tu familia? Seguro muchos vagos, porque sigues viviendo aquí con tu hermana y conmigo.

La abuela no supo dónde colocarse y le descubrí, en ese momento, el mismo gesto que utilizo cuando quiero volver sobre mis pasos por haber dicho o presenciado algo incómodo. En cambio, Ana, divertida, seguía la conversación y el enojo de papá intentando descubrir por qué le reprochaban al tío Carlos besar a las chicas. Después me preguntaría ¿qué es libidinoso?, ambas iríamos al diccionario a investigarlo, solo atiné a decirle "alguien que demuestra mucho su cariño", pues no me aclaraba nada eso de "persona proclive a la lujuria".

—Esteban, este es el último verano que vivo con ustedes. Ya estoy buscando a dónde mudarme —se levantó molesto sin terminar de cenar. Antes de abandonar la cocina remató su intervención—. Y espero de corazón, Maricarmen, que tengas más genes maternos que paternos, así no irás por la vida con ese color tan gris como el que tú te cargas, cuñado. Deberías ir al médico.

No se dijo más. Terminamos el postre, cada cual con sus divagaciones en medio de un tiempo dislocado.

A él le gustaba caminar, en ocasiones me permitía acompañarlo si iba por el periódico o a la ferretería a comprar algo: "alivia de muchos sinsabores y te endereza los pensamientos". Las frases de papá no ponían de buen humor a nadie, te aplastaban o te desarmaban. No sé si conocía su efecto en los otros, si llegó a comprender cómo su aura tocaba nuestros cuerpos y nos ensombrecía. Yo creo que al pronunciarlas en voz alta se le escapaban, no tenía intención de compartirlas porque cada vez vivía más adentro de sí mismo. En una ocasión, durante uno de sus paseos, pasamos frente a la casa del hijo de un escritor muy famoso nacido en nuestra ciudad, fue gobernador del estado, embajador y no sé cuántas cosas más. Una finca bastante oscura, de fachada colonial, nunca imaginé a un hombre tan ilustre, a decir de mi padre, sentado en ese porche leyendo el periódico o sacudiéndose el calor. Papá hasta un día conversó con él.

—¿De qué?

—Del tiempo, se le veía acalorado, ya era un hombre mayor. Le comenté, es el bochorno de los días previos a la lluvia. "Sí, ya va a comenzar a llover", contestó cortés. Ojalá, le respondí, para que el agua se lleve *los afectos, los deseos, los instintos, los miedos que se asoman, agitan sus manos invisibles, como de cadáveres, en ventanas y puertas herméticas.*

—¿Qué te contestó?

—Nada, solo sonrió e inclino su cabeza agradeciendo.

—¿Agradeciendo?

No respondió, encendió un cigarro, continuamos la caminata en silencio. A la vuelta del paseo se encerró en su estudio y la campanita de la Olympia naranja se apoderó del ambiente.

Él escribía un libro. ¿Sobre qué? Nadie lo supo, solo el fuego, solo el fuego.

Sin saludarnos siquiera, mi madre subió hasta el despacho de mi padre. La seguí, quería ir a la tienda. La vi tomar la carta y leerla. Se derrumbó en la silla. Quiso llorar, se contuvo porque yo con mi imprudencia le interrumpí las intenciones:

—¿Qué pasa?

—Nada, nada.

Papá llegó cerca de las diez de la noche ese día. La angustia de mamá se paseaba por los pasillos, se asomaba a cada rato por las ventanas esperando a que llegara. Nos ordenó ir a dormir antes de la hora a pesar de que era verano. Ana se durmió de inmediato, estaba muy cansada, estuvimos nadando y jugando con Monika y su boa la tarde entera. Yo seguía despierta cuando lo oí entrar. Subió despacito sin querer hacer ruido, antes de entrar a su habitación, donde seguro mi madre lo aguardaba, pasó a nuestra recámara y nos acarició la cabeza. No olía a alcohol sino a tristeza.

Los escuché, no pude evitarlo, me levanté de la cama, me senté cerca de las escaleras, la puerta estaba entreabierta:

—Me prometiste que cuando llegara la carta la abriríamos juntos.

—Pues ya ves, no pude esperar.

—¿Por qué me haces a un lado?

—¿No te das cuenta? Me estoy desvaneciendo.

Ella lo abrazó y él apoyó la cabeza en su regazo. Fue la primera y única vez que lo oí llorar.

Al día siguiente desayunamos juntos. Los dos se notaban desvelados y los ojos de mamá hinchados. Mi padre intentaba sonreír con las anécdotas de Ana y la boa, a las que en realidad no prestábamos atención. Él intentaba no estropearnos el verano que ya se iba arruinando solo. Al terminar de desayunar, papá nos contó que había aceptado un empleo temporal en una enorme siderúrgica, y tendría hasta una oficina. Estábamos en la época de "el milagro mexicano", al parecer la rama industrial crecía con desmesura. Él sería traductor y asesor técnico de los especialistas que instalarían la nueva maquinaria de fundición entre otros artefactos. Necesitaban una persona con su perfil y lo recomendó un amigo de la familia, le pagarían muy bien. Además de traducir o adaptar los manuales técnicos, se sumó la responsabilidad de explicar puntualmente a los operadores de las máquinas cómo manejarlas:

—Por eso ayer no vine a comer, estaba en una reunión de negocios y se hizo tarde —nos guiñó un ojo. Mamá le tomó la mano, se la apretó con cariño—. Miren —sacó un casco de construcción que le puso a Ana en la cabeza—, voy a usarlo a diario.

—¿Y tu libro?

—¿Cuál libro, Maricarmen? Yo solo redacto manuales, instructivos, diagramas para mejorar su interacción con las sencillas y complejas cosas.

Aunque él lo disimulaba, yo reconocía cuando su voz sonaba húmeda.

Él sobrevivió a ese verano, que nos estremeció con su veneno, y a tres más. El gris fue diluyendo su cuerpo casi por completo, cómo luchó por detenerlo. No pudo, pero estoy segura de que él ya había descubierto las instrucciones de uso para adaptarse y proceder bajo su nueva forma. Lo sé porque cuando le taparon el rostro y se lo llevaron en la ambulancia, vi su sombra erguida y poderosa recargada sobre la pared, despidiéndose.

—No te vuelvas sombra —le dije.

—Lo que tú llamas sombra es la luz que no ves.

Era verdad, aún lo recuerdo luminoso poniendo la canción de "Héroes" de Bowie en el tocadiscos y bailando con mamá, abrazados; nosotras los veíamos ir y venir deslizándose en cada nota, sintiéndonos invencibles por siempre.

Y ahora yo sigo aquí, ante la insípida amonestación de la hoja en blanco intentando escribir y recordar o recordar y escribir, buscando comprender por qué nos adviene el pasado como una mortaja que nos prepara para diluirnos poco a poco.

VI

La luz fresca de la mañana rozó sus pensamientos antes de que abriera los ojos. Cuando lo hizo, comprobó que el sueño, barrido por la noche, no lo rescató del horror de su cotidianidad. Ahí su perro mestizo mordisqueando un pedazo de plástico, allá el olor a aceite quemado, a llantas y herrumbre. Se rascó la barba e incorporándose dobló el catre, lo acomodó sobre la pared del fondo. Se enjuagó la boca dando un trago a la botella de brandy barato, compañera inseparable en el bolso del saco, para despejar las emociones de tener ese cuerpo envejecido, de apestar a basura, de llevar esa vida, de no poder vivir la otra, la que no por imaginaria es menos verdadera.

Buscó su ropa, la de siempre, la que lava a veces. Se enfundó la camiseta de cuello alto —haga calor o frío es la misma—, oscura por supuesto, que hace juego con una chaqueta azul marino presentable pese a las embestidas del tiempo y que cree le da un toque señorial decadente. Se lavó las manos, siempre sucias porque recoge la inmundicia de los otros en el sentido amplio de la palabra. Se limpió la cara y, finalmente, llegó la parte más placentera en medio del desaliento de otro día más, acomodarse la gorra negra de capitán con un ancla dorada y los respectivos adornos de magnificencia y grado superior. Comprobó su atuendo al mirase al espejo y se dijo: *soy yo otra vez, tal cual no soy.*

¿Qué era él en realidad?, reflexionó mientras alistaba el carrito recolector de basura, la escoba de varas, el recogedor con mango y cuerpo de metal que le fabricó uno de los mecánicos. ¿Qué era él en realidad? ¿Un vigía desplazándose entre un mar de concreto? ¿Un marinero de tierra que nunca había visto el mar y lo conocía como nadie? ¿Un simple alférez o bogavante de la colonia? ¿Un artillero cuando había que azuzar a alguien, o un contramaestre rigiéndose bajo las órdenes de un superior, sea cual sea, para sobrevivir y llegar a buen puerto al finalizar la jornada? Sacudió esas inquietudes, ajustó el cencerro a su pantalón, esa campana rústica que hacía sonar para que la gente supiera cuándo pasaba a recoger los desperdicios. Porque se regía por horarios y por rutinas, tres veces a la semana barría y mantenía impecable el cuadrante asignado —que por la rotonda de la fuente se reducía a un triángulo— comprendiendo las calles desde el cruce de las avenidas Tolsá, Alemania, Federalismo, y en pico por la de diagonal Suiza; y tres veces a la semana las bolsas de basura; el domingo descansaba. Desempeñó varios oficios antes de acabar aquí: obrero en una fábrica de botones, chofer de ruta, mensajero de oficina, albañil, ayudante de carpintero. Trató de ahorrar, de hacerse un futuro, lo estafaron, se quedó sin nada. Ni se casó ni tuvo hijos, no tenía tiempo y ahora se lo acabó el tiempo, de pronto abrió los ojos y se encontró viejo barriendo calles.

Odiaba el verano. La lluvia de la noche dejaba mucha hojarasca; si bien el polvo en esa época no era un problema más agrietándole los pulmones, la espalda se resentía al agacharse para desprender las flores pegadas al suelo inamovibles ante la escoba. Esas que, una vez mojadas, dejaban su esplendor y se convertían en un peligro haciendo resbalar a la gente. Echó un vistazo a la calle de Francia, un desastre. Debía llevar un pedazo de fierro que le sirviera de espátula. Presintió que sería un día largo, complicado, amaneció con una resaca existencial y la pregunta de ¿qué era él en realidad?, que oscilaría con su variante inseparable, ¿quién era él en realidad? ¿Un capitán? Ni siquiera lo eligió, le llegó como los despojos que las olas arrojan a la playa. La gorra se la regaló don Florentino, el abuelo de Monika, pensando que le serviría de visera contra el sol. Le gustó mucho, decidió llevarla con regularidad. Él le daba muchas cosas, ropa usada, hasta un radio viejo de baterías que amarró a su carrito para que no se le hiciera tan monótono el oficio de barrendero, aunque estuviera atascado en la estación de música clásica y no hubiera forma de girar la perilla. Acabó acostumbrándose a oír sonatas, sinfonías, cantatas, ópera, vals, adagios, fugas. Algunas le agradaban más, otras mejor las silenciaba, pero no podía negar que a fuerza de escucharlas, como un acompañamiento a su vida rústica, le gustaban. Un amigo se la arregló después de un tiempo para que escuchara "música de a deveras". Ya no fue igual, y aunque disfrutaba de los boleros, las rancheras, los mambos, echaba de menos los violines matutinos, el chelo al mediodía y qué decir de "La hora del piano", cuando caía la noche: "música es música si te pone contento". A solas, y fumándose un cigarro, siguió apegado a sus conciertos.

Como muestra de agradecimiento hacia don Florentino, le conseguía ratas a la boa, o le localizaba al hijo, Matías, que se le escapaba por las noches, se drogaba e iba a buscar bronca con unos cholos al otro lado de Federalismo, se lo entregaba en la puerta a veces muy golpeado. Por eso la señora Constanza lo premiaba con un desayuno a eso de las diez de la mañana constituyendo el alimento más importante de la jornada.

El mote del Capi —que no capitán, lo cual le hubiera dado un margen de poder y no de cariño—, se lo puso el señor Esteban. Un día lo soltó sin más al verlo con la gorra: "Buenos días, mi Capi, ¿todo en orden por la colonia?". De ahí se corrió la voz, porque jamás nadie le preguntó su nombre y aquel bautizo azaroso le dio visibilidad. La gente ya podía nombrarlo, llamarlo, sin establecer ningún tipo de intimidad que se inicia con un ¿cómo te llamas? El anonimato hizo tregua, comenzaron a reconocerlo. Quedó agradecido con Esteban, le parecía buena gente, casi siempre estaba en casa y salía mucho a caminar. Tenía un color raro, gris, parecía una figura de revista en blanco y negro recortada y puesta en un escenario de colores. En cambio Sonia, la esposa, era vital, amable, le regalaba los periódicos viejos y a cambio les barría la cochera. Incluso una vez impidió que se les perdiera una hija, Maricarmen, la más grande, quien una mañana de diciembre salió bien abrigada y con un atadito de ropa o de juguetes. Volteó hacia la izquierda, seguro la avenida con tanto coche la orilló a optar por la derecha; de no haber tomado esa ruta otra historia se contaría. Llegó a la esquina, se encontró con el Capi, sin la gorra puesta, saliendo de unos arbustos con unas botellas vacías que guardaba en un saco de yute. Maricarmen al verlo se puso pálida e intentó correr, casi la atropella un auto. Por suerte él pudo sujetarla de un brazo y la libró del golpe.

—Te van a matar, niña.

—¿Eres el robachicos? —se le transparenta-ba el miedo.

—No, soy el Capi, me conoces —se puso la gorra, lo reconoció enseguida—. No puedes andar sola. ¿A dónde vas? —Maricarmen levantó los hombros y recogió sus cosas regadas por el piso—. Bueno, por lo menos dime ¿por qué te vas?

—En mi casa no me quieren, ya tienen a otra niña.

—Es tu hermana.

—Da igual, no la quiero. A mí no me hacen caso.

Intentó retomar su caminata a donde fue-ra. El Capi le tomó la mano, a pesar de oponer resistencia.

—No vas a ningún lado. Allá —señalando hacia una gran calle— sí está el hombre del cos-tal, te va a echar en él y nunca más vas a ver a tus papás, ni a tus amigos ni a nadie. ¿Quieres eso?

—No, que no me lleve a mí sino a la otra niña —llenándosele los ojos de lágrimas—, la tienen en mi cuarto y llora a cada rato.

—Que es tu hermana. Pronto va a estar grande como tú, jugarán juntas y la vas a querer mucho.

Tocó el timbre de la casa de la señora Sonia, ella abrió y se sorprendió al descubrir a su hija de la mano del hombre de la basura con un atadito maltrecho por donde se asomaban un par de mudas de ropa y algunos juguetes. Desconcertada la riñó:

—¿Qué haces afuera? —esperando una respuesta, miró al Capi— ¿Qué sucede aquí?

—Dice que no la quieren porque tienen otra niña. No la regañe, está celosa, me la encontré en la esquina.

—Gracias, Capi, muchas gracias —abrazó a su hija—. Caray, Maricarmen, qué susto, no debes volver a hacerlo nunca, me oíste, nunca.

¿Eso era él?, el hombre que se sube al mástil más alto y ve desde ahí si viene la tormenta, si hay problemas a la vista, náufragos, personas encallando en arrecifes o perdidas más allá de sus horizontes. Por eso mismo, quizá, no todos lo querían ni le dispensaban cierto tipo de afecto condescendiente. Carlos, el cuñado de Esteban, por ejemplo, no lo soportaba, porque una vez lo detuvo al notar que importunaba a una muchacha de servicio cuando iba a la tienda. Y la señora Berta, la pobre, una acumuladora compulsiva, le echaba la culpa a él, y no a sus hijos, de saquearla a escondidas cada vez que la llevaban al doctor o a algún sitio con la intención de separarla de sus cosas: montones de cacharros, papeles y objetos inservibles. Él debía llamar a otros compañeros de oficio, él no podía cargar con bolsas y más bolsas de basura cada mes. La propina era muy buena; sin embargo, no compensaba el soportar a la mujer gritándole cuando pasaba con su carrito o hacía sonar el cencerro. Un día, harto de tantas ofensas y maltrato, la confrontó:

—Es pura mugre la que tiene ahí dentro.

—¿Y usted qué sabe de mugre?, si solo la recoge y la tira. Si no habla con las cosas ni entiende lo que se siente ser inservible. ¿Quién cuida lo roto, lo abandonado, lo inútil? Yo, porque así me siento, aquí arrumbada con mis objetos me encuentro menos sola. No tienen derecho a quitarme ni un trasto. Ni mis hijos ni nadie comprende, la vida es transitoria, al final no somos nada —alterada, subía la voz—, lo que usted llama basura nos sobrevivirá, y serán nuestros objetos lo único que les dirá a los otros que estuvimos aquí.

No paraba de hablar, se sumergía en su soliloquio defendiendo sus tristes cosas, el Capi se arrepentía de importunarla, de interrumpir la locura o cordura ajena por defender su trabajo.

Pese a ciertos inconvenientes disfrutaba de su oficio; barrer era relajante, no pensaba en nada más que en dejar limpio, ninguna zozobra se metía en su cabeza. Salvo cuando le tocaba asear la banqueta de la casa siniestra, donde habitaba, a decir de la gente, una fantasma. Él era muy supersticioso, le comentaron unos amigos que, si se veía a un fantasma directamente a los ojos, y en ellos encontraba el vacío, el abismo, la nada, sabría el día de su muerte. Un fantasma es de mal agüero; tenerlo, peor. Por eso los muchachos de la vieja casona le daban pena, quién sabe cómo sobrellevaban eso. El Capi, por las dudas, cuando despejaba la hojarasca o el polvo se resistía a mirar. Pero un día el Lobo no paraba de ladrar. Por más que lo mandaba callar, sus ladridos no cesaban, le dio un palo en la cabeza y, sin poder contenerse más, alzó la vista, alcanzó a distinguir una frágil figura en una de las ventanas, no lo amedrentó ni espantó, incluso le pareció familiar, se talló los ojos, que a veces le fallan, y cuando volvió a mirar comprobó que no estaba. La oquedad de aquel encuentro, su recuerdo, le regresó la pregunta con su otra variante que ese día se instaló como una melodía pegajosa y no se despejará hasta que otra ocupe su sitio ¿Quién era él?

Ni es capitán ni es fantasma.

En vez de ponerse trascendental, decidió pensar en la señora Amelia, una estrella de cine retirada que, según pregonaba, actuó al lado de artistas muy famosos. Sería de extra o de secundaria porque él ha visto infinidad de películas por las noches en la televisión del taller mecánico y jamás la distinguió en ninguna de ellas. "Trabajé para la industria cinematográfica estadounidense, allá se hace el mejor cine." Lo afirmaba con tal seguridad, mejor ni indagar, aunque se corría el rumor de que fue amante de un funcionario público y él hizo que participara en un par de cintas en el extranjero, nada más. Luego la dejó cuando se puso vieja.

Era excéntrica o le gustaba aparentarlo, solo contrataba personal masculino para hacer las labores de esa casa inmensa que le debió obsequiar el político. La asistía un cocinero, un mozo, un chofer y dos jardineros. A estos últimos los hacía trabajar a mediodía, salvo cuando estaba lloviendo muy fuerte, sin camisa, mientras ella se bebía en el porche varias margaritas. Le acomodaban una silla de mimbre muy glamorosa, una mesita, y desde ahí dirigía la orquesta laboral de sus empleados, descamisados, por supuesto. En ocasiones el chofer lavaba el auto, se demoraba particularmente observándolo y dándole indicaciones. Fue muy guapa, no hay duda, mas no aceptó su declive, su decadencia. El Capi lo sabe porque recoge su basura y puede observar cómo en las revistas de moda o de la farándula nacional los rostros de las actrices de moda vienen rayados, tachados con odio, con un desprecio que nace de la envidia o de la desazón por lo perdido.

Él solía barrer la banqueta temprano porque a ella no le gustaba verlo cuando tomaba su cóctel a las doce del día: "Usted es muy feo, me arruina el paisaje, como ese mugroso taller mecánico que no hemos podido quitar de esa esquina. Voy a mover mis influencias", "debería cortarse esas barbas, le dan un aspecto desagradable, de bribón de tercera", "voy a pedir que lo cambien y manden a un barrendero más joven, que ya lo jubilen, por Dios. Cuánta mezquindad en este país, seguro le pagan una miseria". A él eso lo tenía sin cuidado, la conocía, la ha acompañado en su deterioro, presenciando la caída de los últimos vestigios de su belleza. Lo aborrecía por viejo, porque le recordaba que ella también lo era, porque vio cómo la abandonaron esos maridos o queridos más jóvenes, cómo asistía cada vez menos gente a sus fiestas. Una vez se la encontró en la calle, iba sola, sin lentes oscuros, con una cara que evidenciaba el cansancio, el llanto de muchos años. Se tropezó con él porque iba cabizbaja, salía de la casa de sus vecinos, un par de ancianos antediluvianos, mayores que ella, que a veces la acompañaban en el aperitivo.

—Disculpe usted, no lo vi.

—¿Se siente bien, señora?

En cuanto se dio cuenta de que era él quien la sujetó de un brazo le volvió la altanería:

—Cómo puede estarlo alguien que se está muriendo.

El canal 4 compró su casa porque colindaba justo con su terreno trasero, hicieron una entrada por detrás y aquella finca al estilo de

Hollywood, que desentonaba un poco con el resto de las propiedades de la calle, se convirtió en las oficinas de los ejecutivos de la televisora. En el porche ahora hay un par de vigilantes, los jardines ya no lucen, y él extraña a esa mujer imperativa con margarita en mano gritando indicaciones. Quizá se enamoró un poco de ella, de su elegancia gastada, de su sonrisa marchita, de haberlo tratado sin condescendencia como ¿lo que era? Sí, el recogedor de basura que registra en una bitácora los sucesos de la colonia, particularmente de esa calle, porque él también la habita, aunque duerma en un catre y beba brandy barato por las noches. Sonrió mientras volvía a acomodar su carrito en el fondo del taller mecánico y asumió agradecido los privilegios de la penumbra, del que vive al margen, pero en la misma página junto a otras vidas, se reconoce acaso como un estibador distribuyendo el peso de sus existencias.

Esa noche, después de darle de comer a Lobo, de hacer su ronda por el local donde por suerte solo un par de autos que se quedaron sin ser reparados, acomodó su catre, encendió la televisión, se dispuso a ver una película. Y el azar le regaló una coincidencia extraordinaria: distinguió a la señora Amelia entre otras muchachas que jugaban en la playa mientras los protagonistas discutían sobre una desavenencia amorosa. El Capi los eliminó de su campo de visión, fue absorbido por la escena trasera, hasta que se acercó Amelia a ellos diciendo, en primerísimo plano, con esa sonrisa que le conocía de memoria: "¿Qué hacen tan serios? La fiesta está por comenzar". No volvió a salir más, él se acabó el brandy con la ilusión de que reapareciera. Apagó la televisión, fue a quitarse la ropa y a dormir algunas horas. Se miró al espejo, se lavó las manos, se enjuagó la boca y se quitó por último la gorra de capitán que ya era como una prolongación de sí mismo. Una media sonrisa apareció en su rostro como si se hubiera despejado el dilema que lo sofocó durante el día: *Sí, soy yo otra vez, ¿tal cual no soy?*

VII

Matías disfrutaba deambulando desnudo por el jardín; de eso, y de buscarte a medianoche. Lo sé porque me contaste que una vez te descubrió enroscada en el tronco del guayabo mientras tratabas de mimetizarte para escapar de él. Sin embargo, te dio lástima su torpeza, por eso decidiste no atrapar uno de sus brazos y apretarlo hasta oír los huesos crispar, deleitándote en su sonido. Eres lista, no piadosa, no me engañas, reconocías que él era un buen proveedor y al terminarse los ratones y ratas de la casa, antes de encontrar nuevos horizontes para saciar tu apetito, te acercó trozos de carne o de algún animal muerto, pollos en su mayoría. No eres benévola con tu apetito porque, en otra ocasión, estuviste a punto de tragarte su pie mientras yacía perdido, extraviado de sí mismo en el pasto. No hubo manera de hacerlo, eras joven y tu boca no pudo abrirse lo suficiente para engullirlo, ni siquiera cercenar y pasar por el tracto digestivo un par de dedos. Celebré que abandonaras esa intención, agredirlo no era tu mejor salida; en cambio, deslizarte y quedar al costado de un cuerpo necesitado de silencio, inspeccionarlo con curiosidad, verlo abrir los ojos y que te acariciara como creando una alianza para ganar su confianza fue un gran acierto. Eres astuta.

Entonces, ¿por qué te apenaba que Matías llorara acurrucado entre los arbustos golpeándose la cabeza con los puños diciendo cosas inconexas que solo tú entendías? ¿Es de verdad una ventaja que la imaginación o la genética mítica te haya regalado el don de lenguas? O ¿llegaste a convencerte de ello y por lo mismo conoces los infinitos lenguajes del mundo, de sus emociones? Admito que dudé de tu habilidad para comprender y escuchar bramar a todas las naturalezas, ahora no estoy tan segura. Confieso que tu encanto reside en ello, nos conoces, nos hipnotizas y aguardas con paciencia a que las ansias, el miedo, el vacío, nos fatiguen; entonces viene tu abrazo o la mordida que sellará nuestra muerte.

Los soliloquios de Matías te aturdieron, te sofocaron. Cada vez eran más ininteligibles y lograste extraer poco de ellos, llegaron a aburrirte. Tu intuición no falla, dentro de él se gestaba un depredador, imbatible por oculto. Se intoxica con lo que encuentra y se calma. No es agresivo, solo atormentado. Se vuelve meloso, te acaricia sin parar. Cuando eras más pequeña no había forma de escabullirte, infestaba tus escamas de besos o te frotaba contra su cuerpo, "tú serás mi cómplice, nos escaparemos y te llevaré a la selva". Después caía descompuesto sobre el césped hasta el amanecer, cuando el rocío humedecía sus párpados y lo despertaba.

Recuerdo el relato del día en que se cayó a la piscina semiinconsciente, enervado de sustancias que solía aplicarse en los echaderos de la terraza. Al contacto con el agua despertó de su letargo sin mucho control de movimientos, intentaba alcanzar la orilla; tú lo observabas inmutable, porque a ti no te dice nada su especie como ninguna otra, son alimento potencial, proteínas para vivir. Por un momento pensaste en que si se ahogaba sería más fácil devorarlo; largo pero delgado, pesaría unos cincuenta y cinco kilos, sus huesos al momento de estrecharlo no opondrían tanta resistencia. Estudiaste la situación; sin embargo, aunque eres ambiciosa e insaciable, seguías siendo pequeña. Lo que no te has de comer consérvalo vivo, ya llegará su momento. Y aferrándote a la baranda de la alberca, agitaste el resto de tu cuerpo dentro del agua para que él pudiera abrazarte y alcanzar la escalera. "Me has salvado, me has salvado", lo repetía con esa voz turbada que conocías de memoria. No sé por qué los humanos nos subestiman, a ti como serpiente y a mí como fantasma, quizá porque no tienen el don de observar, de escuchar, asumen que tú eres dócil, domesticable, sin saber que esperas la mejor oportunidad para hacer constricción su existencia. Y yo no soy efímera, sino un eco distorsionado de lo que fui.

No soportabas tampoco su necedad, ni que alzara la voz más de lo debido, se ponía loco. Al abuelo le tocaba salir con un balde de agua y echárselo encima. Él, que se habitaba en otra parte, se pegaba a una de las bardas titiritando de frío como un pobre animal enjaulado que no tiene a donde huir. Un ser débil siempre dependerá de los otros y acabará siendo alimento. Lo cubría con una manta y lo acompañaba a la habitación. Le quitaba la ropa, lo secaba despacio, sin lastimarlo, apelando a los vestigios de un cariño añejo a punto de extinguirse; después le ayudaba a ponerse la pijama. Lo metía en la cama, lo arropaba. El viejo encendía un cigarro, fumaba con tranquilidad hasta que Matías abandonaba las palabras inaudibles y se ponía a roncar. Antes de dejar la puerta entreabierta lo observaba sin encontrar en aquel bulto de carne enloquecida el origen de sus tormentos, o un parecido a él. Quizá la estatura y la delgadez, el abuelo era un hombre recio, poseía una talla desmesurada que lo avejentaba y lo hacía lucir enjuto, dándole un aire de fragilidad que no era tal si uno observaba bien el grosor de sus huesos a los que se pegaba una piel muy tostada por los años. Eran semejantes, mas no iguales. Es una lástima que los humanos no muden de epidermis como tú, y las cicatrices, la erosión que provocan los años con sus circunstancias, las lleven a cuestas hasta el final de sus días.

Es terrible no poder abandonar como tú el pasado con la piel.

Por fortuna posees otra naturaleza. Ya habías finalizado la segunda muda, te notabas muy robustecida, lo que te permitió salir de ese perímetro desastroso, conquistar nuevos territorios. Fue un alivio ya no "jugar" con las niñas y desembarazarte de esa familia algunas horas al día. Monika era menuda y apetitosa, siempre la priorizaste como una presa. Teresa, su madre, te trajo. Permaneció un rato afuera antes de decidirse a entrar con aquel obsequio tan poco convencional para una niña pequeña. Decidió que tú serías el regalo de un padre alemán ausente, al que nunca conociste salvo por un par de fotografías que llegaron en una carta y mostraban a un hombre a quien jamás habías visto, y se supone te envió desde muy lejos. A Teresa le pareció acertado alegrar con mentiras a Monika, quien con el tiempo se acostumbró solo a la llamada corta y fría por su cumpleaños, a la llamada llana y breve en Navidad. Los humanos somos criaturas patéticas, estoy de acuerdo contigo, ¡boas en Alemania!, lo enredan todo, sus pensamientos son más sinuosos que tus desplazamientos. Te dieron un origen insólito y fuiste muestra de un afecto inventado, cuando en realidad provenías del zoológico particular de un mafioso empresario al que le dieron un tiro de gracia en la cabeza.

Monika, la querida Monika, te resultaba tolerable porque no le importabas mucho salvo como señuelo para atraer la atención de otros niños. Porque tu llegada a la casa atrajo a mucha gente. Eras, sin que la vanidad se imponga como un cliché de tu raza, más que exótica, intimidante. A los humanos les fascina, o ¿les excita?, la amenaza, lo cruel, lo despiadado, les da de qué hablar, y tú en potencia prometías. El toqueteo fue una tortura que soportaste por algunos meses hasta abandonar tu condición de novedad, menos para las vecinas de al lado que con entusiasmo iban a juguetear conmigo. Ya habías puesto tus intenciones en la más pequeña, Ana; esta te parecía un manjar posible si lograbas ejercitar con más empeño el ligamento elástico de tu boca. Yo no lo hubiera permitido, mas te dejé desearla, reconocí que el tamaño de tus ambiciones no corresponde a tus habilidades, pero creerlo te fortalece.

En verano les encantaba zambullirse contigo en el agua. Ana se sentaba en el extremo opuesto de la piscina y divertida observaba a Matías lanzarte muy alto en el aire, caer en el agua y zigzaguear hasta llegar a ella. Odiabas que lo hiciera. En venganza te enroscabas en la diminuta pierna de la niña y tanteabas, apretando un poco, con mucho disimulo, si podrías en breve saborearla. Él la liberaba de tu abrazo, la sentaba entre sus piernas y cuidaba de que te acariciara sin peligro de lastimarla, mientras Monika y Maricarmen se asoleaban en los echaderos. A Matías le encantaba estar con Ana, se le notaba más calmo junto a ella, era dulce y amable, se comportaba como un crío, lo cual te resultaba favorecedor, pues desviaba su excesiva fijación en ti. Al llegar la hora de jugar a las escondidas lanzabas un suspiro secreto, la casa era enorme, tenía muchos recovecos —la conocías de sobra por tus frecuentes recorridos nocturnos—, y se entretendrían un buen rato dejándote en paz. Era el momento en el que la abuela, siempre vigilante de las niñas desde la terraza y tejiendo, iba a preparar la merienda antes de despachar a las visitas.

La abuela y el abuelo en realidad eran los padres de Matías y de Teresa, pero te acostumbraste a identificarlos de ese modo. Él adoptó esa forma también, le resultaba más cómodo. Seguro porque fue un hijo traído por la casualidad en el último destello de reproducción de la vieja. Una década o poco más separaban a la sobrina del tío, debió de ser duro para él recibir el abrigo de dos seres que ya no tienen ninguna intención de batirse con la vida y esperan devengar su muerte. Su vitalidad se consumió en el arrullo de una pareja que dejó de cazar, o de anhelarlo siquiera.

La anciana era buena, me dijiste, hablaba poco y no le interesabas en absoluto. Por molestarla, o quizá por llamar su atención, ya que no era ni por asomo un bocado subyugante, te escondías entre sus hilos y madejas. Retozando al lado de las bufandas a medio terminar que te regalaban un poco de semejanza. Solo sabía tejer eso, y te enrollabas en ellas hasta cansarte. Disfrutabas durmiendo en la enorme canasta donde guardaba su material, la elegiste como madriguera. Me imagino su cara al verte, su grito al llamar a Matías: "saca a este animal de aquí o la mato a escobazos." Al palo de la escoba le temías, siempre estabas a punto de saltar, era como un reflejo de supervivencia, mas la mano protectora de su hijo te sacaba de ahí expulsándote de tu paraíso de mimbre y fibras para devolverte a la realidad de la terraza. No me extraña su rechazo, cuando te descubrió en aquella caja de madera su gesto de repugnancia fue el más honesto, nunca te quiso, hubiera preferido un gato exterminador de ratones, de ratas, pero el abuelo tenía alergia hasta de los perros. Y por esa época un boa de mascota era la moda.

Volvamos a Teresa. A veces salía al jardín, me decías, y te observaba perezosa. En más de una ocasión la oíste discutir con su madre la posibilidad de regalarte: "Hija, si es un obsequio del papá de la niña. No podemos hacerle eso." Ella se quedaba callada, su mentira la ha confinado a tu presencia. No aguantará, acabará haciendo lo inevitable. La incertidumbre de ir a otra parte, caer en las manos de quién sabe quién, te mortifica. Sí, Teresa se ha vuelto con el paso de los años ensimismada, se le cuelga en el rostro un rictus de amargura que impresiona. Se desquita contigo, no con insultos ni patadas, como hace el abuelo cuando te encuentra a su paso, sino lanzándote miradas acorazadas de odio y resentimiento. Tú le recuerdas a él, al marido, aunque este no sepa de tu existencia ni sea el regalo exótico de la hija sino la ilusión de ser eso precisamente, una deferencia, una atención, un acto de cariño hacia una familia que decidió olvidar. Olvidarla a ella sería lo preciso, porque a la hija le llama dos veces al año y por lo menos recibe postales ocasionales enviadas desde lugares remotos.

Comenzaste a especular sobre tu fuga.

¿Qué te orilló a tomar una medida tan drástica? ¿Fue porque puso un programa sobre desollamiento de animales? Te entiendo, debió ser muy duro, muy cruel. Teresa no perdía detalle del documental mientras Matías dormitaba como de costumbre. Se había bebido después de la cena una botella de ron con algunas pastillas que hurtaba del baño de la abuela. No le dicen nada porque eso lo calma, prefieren disimular sus actos, hartos estaban de llevarlo a cuanto sitio les proponían sin conseguir regenerarlo. Acabaron resignándose y decidieron no tirar su dinero, ahora esperan algún milagro —la abuela le reza a muchos santos—, o que se le fría el cerebro y, sin remordimiento de conciencia, lo encierren en algún asilo. Teresa estaba igual de perdida, me dijiste. Aunque hay diferencias. Ella era cruel, no atormentada como su hermano, amargada, pero no llena de pulsiones incontrolables que Matías apaga con el alcohol y los barbitúricos. Sádica, lejos de cambiar el canal, subió el volumen, debió notar cómo sacabas la lengua y te movías arrítmicamente evidenciando tu nerviosismo. La manera de despellejar a las serpientes heló más tu sangre. Ya no se trataba de soportar a las niñas y a un loco intoxicado, la meta sería sobrevivir y no terminar en las botas de algún vaquero de ciudad.

E iniciaste la búsqueda de un buen refugio.

Tras comprobar la resistencia de la piel de la última muda te deslizaste por el guayabo, el más alto de los árboles del jardín que te permitió balancearte hasta alcanzar una rama firme de la enredadera. Notaste con orgullo los centímetros de más que tu cuerpo ganó en los meses previos al verano. Con la confianza robustecida, con la consigna de que una selva es una selva, sea vegetal o de concreto, y tú uno de los seres mejores equipados para sobrevivir, decidiste explorar otros espacios, otras barbaries. Esa noche marcaste tu suerte y el perímetro de las primeras indagaciones arribando hasta la esquina de la casa siniestra, arribando casi hasta mí.

Antes de regresar al jardín de tu confinamiento inspeccionaste también el lado contrario de la calle, encontrando en el taller mecánico un paraíso de caza y un lugar lleno de posibles madrigueras. Ningún problema resultó el perro cruce entre dóberman y algún callejero, al que llamaban Lobo, custodio del sitio. Le pertenecía al Capi, un hombre mayor que portaba una gorra de marinero, buen tipo. A los dos los conocías de sobra porque la abuela, a cambio de ratas y otros favores, por las mañanas le servía un sabroso desayuno que él comía sentado en los escalones de la puerta de la cocina. Nunca lo dejó entrar; sin embargo, Matías te mostró y él te tomó con sus manos grasientas y sus uñas mugrosas: "parece serpiente marina, son bien peligrosas. No le dé la espalda, son traicioneras." Una perorata de injurias contra ti salía de su boca, ganas tenías de arrancarle un ojo y completarle su disfraz de marinero en tierra, mas concluía con un "se ve mala pero es bonita", y tu vanidad reblandecía la ferocidad. Te descubrió gracias a los insistentes ladridos del perro mestizo, le ordenó que ni se le ocurriera tocarte y le pegó en la cabeza. Lobo comprendió al instante.

Esas correrías nocturnas te alegraron la vida. Te dejabas ver poco por el jardín, salvo cuando las niñas iban a jugar para no levantar sospechas; el resto de las horas las dedicabas a dormir o a vagar por esos terrenos cada vez más conocidos. Con el tiempo identificaste a otros habitantes del pequeño mundo de esa calle, porque al principio solo te movías en ese perímetro, hasta dominar bien el salto de bardas o el deslizamiento por las ventanas abiertas buscando, tras merodear por las viviendas y saquear alguna alacena, rutas de escape o escondites. De esa manera, y encaramada en el tabachín, descubriste y estudiaste durante algunos días la posibilidad de tragarte un fox terrier que un hombre regordete con cara de niño colgaba en el árbol. El dueño nunca le quitó la vista de encima y no mostró ninguna inquietud cuando una tarde te descubrió entre el follaje meciendo tu cabeza de un lado a otro con intención de atacarlo. ¿Su respuesta? Lanzarte el humo a la cara irritando tus ojos y provocando la retirada.

A donde venías poco era a la finca siniestra, porque ahí habito yo. Habías escuchado los rumores, no los creías. Siendo un animal de tierra, que se arrastra sobre lo más tangible, te resultaba imposible imaginar un ser etéreo, inasible, porque esas historias de que ustedes son hermanas de las brujas, compañeras de los asesinos y las mascotas predilectas de los poseídos, de los demonios, son puras invenciones de las mentes perversas que tienen torcida la razón.

De sobrenaturales nada. Basta de blasfemias. Ni hijas de Dios ni del Diablo, a ustedes también las parió la madre naturaleza.

La primera vez que recorriste los alrededores de la casa siniestra entraste al jardín repleto de ratas cuyos ojos eran tan luminosos que uno no podía perderse en la noche. Les hiciste el favor y te tragaste muchas. Después preferiste no hacerlo, regresabas con el cuerpo abultado y debías reposar una semana hasta digerir tu gula. Con el tiempo te prohibiste comer fuera de casa, la gordura impide, a la postre, la agilidad necesaria para las grandes proezas proyectadas en tu cabeza, y sospecharían de tus deslices en las calles vecinas. Teresa, seguro, estaba buscando un pretexto para encerrarte o regalarte a un traficante de pieles.

La casa siniestra no te parecía fuera de lo normal, aunque de noche todas se ven malignas, pardas, y sin el color no hay manera de reconocer su naturaleza. Se disfrazan de silencio y oscuridad. La mía no era de ese modo, tal vez porque me desplazaba como una luz itinerante por las habitaciones lanzando destellos luminosos por las ventanas. Tu visión nocturna me distinguía yendo de un lado a otro del caserón, eso despertó en ti la curiosidad. Quizá la fantasma era un eco de humanidad, pensaste, confinada como tú a una cárcel de ventanales y ladrillos. Una noche nos encontramos cara a cara, me descubriste en la azotea. Por alguna razón disfruto todavía de los cielos despejados, y me siento ahí, pálida, diáfana, muda como cualquier fantasma, salvo por esos enormes ojos que aún poseo advirtiéndote que sigo aquí en el mundo de los vivientes. Tu actitud amenazante no hizo sino reforzar mi poderío acaso ¿sobrenatural? Reconociste mi grandeza, ningún atrevimiento se asomó a tu piel para tocarme, para comprobar si pertenecía a esta tierra o a la otra. Optaste por la retirada.

Será que tu estirpe reconoce a los seres que habitan el umbral de los imaginarios de los mortales.

La vida te iba bien, cumplías tus obligaciones de serpiente domesticada tolerando a Matías, a las niñas, a Teresa, a los abuelos y a alguno que otro intruso que llegaba a disfrutar de la parrillada familiar los domingos más frescos del año. Eras afortunada. Además, vivir en una ciudad cuyo clima templado se procuraba en cualquier estación, amén de la temporada de lluvias que atraía el calor más sofocante, si de esa forma se puede llamar al exceso de una leve humedad, te beneficiaron mucho. Encontraste por fin el justo equilibrio entre la vida social y la personal, se ampliaron los límites de tus exploraciones, poseías un salón de juegos privado, husmeabas en las casas de los vecinos, me admirabas y, en algunas ocasiones, mirábamos juntas el cielo nocturno "fantaseando" que a pesar de nuestras naturalezas no estábamos confinadas a representar los bajos instintos de la humanidad.

Ya no deseabas huir.

Al día siguiente de asumir la decisión de quedarte apareció el griterío, la turbación, la cólera, viste a la abuela entrar y salir de la terraza llevándose las manos a la cabeza. Te encaramaste en el guayabo asustada por esa histeria colectiva repentina, sin llegar a escuchar por completo lo que vociferaban. ¿Otra serpiente? ¿Una serpiente oculta en la habitación de Matías? "Ahora sí rebasaste el límite, ahora sí." A él lo imaginaste en su habitación golpeándose la frente con los puños, o echado en la cama fuera de sí abrazando no a una, sino a muchas serpientes cubriendo su cuerpo, intentando ocultarse de la furia del abuelo, de la ira de Teresa, de los ojos vencidos de la abuela, de la tristeza de la pobre Monika aferrada al retrato de un padre desconocido que nunca irá por ella. No quisiste oír más, sin él de tu lado, con una intrusa por sustituta, vaya a saber su linaje, sus maneras y costumbres, no quedaba para ti más que el olvido o la muerte. Preferiste el destierro y huir.

Escapaste de inmediato, caía la noche, esta ayudó a cobijar tu partida. Agitada, herida por un clavo oxidado que se aferraba a la pared de la penúltima vivienda, y que no pudiste esquivar por gorda y bofa, tuviste que parar en una de las bardas de la casa siniestra. Yo te observé sin sorprenderme de que yacieras agotada con medio cuerpo suspendido, aferrándote a un tubo del drenaje. Abrí la ventana ¿o fue el viento severo que anuncia la lluvia? Te introdujiste sin pensarlo, caían los primeros rayos. Refugiada bajo ese techo recuperaste el aliento y al salir de tu desconcierto creíste oír mi voz: "Es bueno escapar al filo de la tormenta." ¿Hablé? ¿Eso dije? Sin averiguarlo recordaste que a mí solo me gusta escucharte, y sin meditarlo te escapaste por donde habías entrado.

Desde ese momento, mientras te escurrías por entre los dedos de la noche lo supiste, serías el terror oculto, la amenaza latente, la víbora escurridiza, venenosa, la culebra que contagia y hiere, la pitón de abrazo estrangulador, la boa-anaconda asesina de las mascotas y alborotadora de conciencias. Comprendiste que, para tu especie como para la mía, no existe el paraíso, a nadie le importan nuestras

circunstancias o existencia porque cargamos mi-
lenariamente, como un prefijo lapidario, con los
males o los pesares de su pequeña humanidad.

VIII

—Mamá, ¿crees en fantasmas?

—No.

—¿Por qué?

—No existen, Ana, la gente se muere y ya. Los enterramos, los lloramos y se acabó. No se vuelven fantasmas, los muertos, muertos son, ¿entendiste?

Mi hermana, sin mucho convencimiento, siguió bebiendo su chocolate. Mamá volvió a sumergirse en sus anotaciones tratando de terminar un artículo sobre los raptos de niños en los países africanos para convertirlos en guerrilleros; por fin un periódico de circulación nacional se interesó en su trabajo.

—Entonces, veo gente muerta —agregó categórica.

Madre suspiró enfadada, dejó de teclear y se quitó los anteojos. Me miró como esperando una explicación que yo no podía darle porque también me venía enterando de que Ana veía gente muerta.

—¿Y tú qué sabes de esto?

—Nada.

La voz me tembló, lo percibió al instante. Ese verano se irritaba con suma facilidad. Fue a servirse otro café.

—¿Dónde los ves?

—En la casa de Agustín y solo veo a la fantasma.

—¡Ah! —dio un trago poderoso a la bebida que le quemó la garganta, y volvió a recriminarme—. Tú ¿dónde estabas? Está prohibido entrar en casas de gente que no conocemos.

Iba a responder, Ana se adelantó:

—Con su novio Uriel.

—¿Qué?

Yo estaba tan asombrada como ella, él era un amigo, incómodo por cierto, y no sabía cómo Ana habló con la fantasma, nunca me comentó sobre eso y… fue cuando sentí su mano apretándome el brazo.

—No tienes edad para tener novio y tu obligación es cuidar a tu hermana. ¿Me oíste?

Me zafé molesta, mis ojos se llenaron de lágrimas ante tanta arbitrariedad, mas no lloré, el coraje atoró el llanto, los reproches. Creo que se percató de que estaba exagerando el asunto, trató de recuperar la calma con una sonrisa.

—No quiero que vuelvan a jugar allá. ¿Quedó claro?

—Mamá, la fantasma quiere que te cuente mi secreto.

Ana, desde que nació, se metía en cualquier lado. Era curiosa, temeraria. No medía las consecuencias, le encantaban las travesías que la condujeran hacia las voces, las risas o los atracos de este mundo confuso. Era complicado ser la hermana mayor de una persona que va por ahí bajo la consigna de que la vida inclemente no existe, ni la morosidad del tiempo a pesar de que las circunstancias se dilatan extrañamente a su antojo. Una persona que vive sin dimensionar puede habitar distintos planos, puede superponer realidades, puede creer que todo es posible. Ana me traía problemas siempre. El verano pasado, por ejemplo, se escapó con el primo Benito. Él vino a quedarse una semana con nosotros, era norteño, tenía más o menos mi edad; sin embargo, lucía mayor, mucho mayor, por alto. Le decíamos el Chabelote porque le encantaba el programa de *En familia con Chabelo*, incluso se le parecía un poco: usaba pantalones cortos e intentaba hablar con ese tono agudo de niño fingido. Nosotras le pedíamos que lo imitara y le aplaudíamos divertidas; él, orgulloso, aceptaba hacer la función privada repitiendo juegos y desafíos a los que nos sometíamos, al final la recompensa eran dulces. Benito era buena persona, se lo creía todo. El tío Carlos lo tenía controlado de este modo: "si te portas mal te *catafixio*." Bajaba la cabeza y, sin molestar, mantenía al margen su presencia, seguro se imaginaba intercambiado por una sala, por una bicicleta o en el peor de los casos, por una inutilidad.

Mamá, conociendo su entusiasmo y admiración por ese personaje de la infancia, prometió conseguir pases para el programa especial de verano que se trasmitiría desde el canal 4 para toda la República. Imposible. Ni moviendo sus influencias ni pidiendo favores a la gente de medios que conocía por su trabajo logró conseguir boletos. Benito había venido a eso y a no morirse de calor, porque allá en su tierra el sol se apila en los cuerpos alcanzando el sinsentido. Cómo lloró, lo descubrimos en la terraza haciéndose el disimulado. "Dejémoslo, Ana, ahora quiere estar solo." ¿Me hizo caso? Ninguno, corrió a abrazarlo.

Esa misma noche lo orquestaron.

En realidad no planearon nada, cómo iban a hacerlo, fue una cosa espontánea de ella, de su atrevimiento feroz sin estrategia, de su ir por ahí sin esperar consecuencias. Convenció al primo de ir al foro televisivo y colarse: "como en las películas." Y el otro que nació para creerlo todo se aferró a esa posibilidad. Aprovecharon que el tío Carlos discutía con Lola sobre asuntos amorosos; de que papá había salido a entregar unos manuales; de que mamá estaba en el periódico y yo leía una historieta, para escabullirse a la calle. Llegó la hora de la comida, nadie los encontró. Me lo recriminaron, como de costumbre. Por un momento pensé que no solo nacemos proclives a ser de este o de aquel modo, también venimos al mundo con algún designio: el mío, actuar de guardiana de la inconsciencia.

Salieron a buscarlos. Lola, la más calmada, después de verlos ir de aquí para allá sin orden aparente, sugirió que fueran a buscarlos al canal 4. Ahí los localizaron, regresaron llorosos y desconcertados. Papá, enfurecido, había dejado atrás el susto y les recriminaba con esas frases suyas tan sistematizadas para dar lecciones de comportamiento: que el entusiasmo es una grosería si no sabemos responsabilizarnos de él. Ellos asintieron con la cabeza a pesar de no haber entendido ni la mitad de la mitad.

Por la noche, le pedí a Ana que me contara qué había sucedido:

—Hubieras ido.

—No me invitaron.

—Porque no ibas a ir. Te estás volviendo aburrida.

Me quedé callada, enfadada y, por si fuera poco, ofendida. A mí también me riñeron por su culpa. Le di la espalda, fingí dormir. Notó el enojo enganchado en la habitación, y por no tener insomnio o remordimientos, me relató brevemente su hazaña.

Cuando llegaron había una cola inmensa. Formarse no era opción. Benito, que tal vez por el deseo de ver a Chabelo se le avisparon las ideas, sugirió esperar a que se juntara mucha gente en la entrada y colarse. No sucedió. Las personas, de manera muy ordenada, mostraban el boleto accediendo al foro. El programa iniciaría en cualquier momento. Al primo le entró la angustia, "se puso raro, me agarró de la mano y a la carrera quisimos entrar". Un vigilante los detuvo y los escoltó a la salida. Benito le suplicó, "casi se hinca, me dio mucha vergüenza, Maricarmen, mucha. Si lo hubieras visto". El policía no cedió. Sin embargo, les dijo que ya que terminara la grabación del programa el ídolo del primo saldría por la puerta azul de al lado, con suerte podrían saludarlo o pedirle un autógrafo. Eso devolvió un poco de esperanza al lastimero Benito.

Esperaron y esperaron. "Ya me quería regresar, estaba aburrida, ni platicábamos ni nada. Sacó una paleta toda sudada y vieja, y me la dio. De mala gana me gritó: 'Cómetela, no des lata'". No le conocía esos modos, eso atemorizó a mi hermana. La gente por fin salió festiva y contenta. "Los ojos de Benito se pusieron rojos y bien feos, estaba lleno de coraje", de envidia, debí decirle, a él le hubiera gustado estar ahí. Se despejó la entrada, y ellos siguieron sentados en la escalinata aguardando a que saliera. "Yo quería llorar, estaba asustada. Es que apretaba la libretita de autógrafos con un odio, estaba bien raro, y no me soltaba." Pensó en irse de ahí y que el primo se volviera solo. Fue cuando salieron de la puerta azul varias personas. El vigilante les gritó: "Ahí va, es él". Benito, confundido porque no lo distinguía entre esos señores, le soltó la mano. Observó a los cuatro hombres de traje, un auto los esperaba en la acera. El policía notó que estaban preguntándose "¿dónde está Chabelo?", y les dijo: "vengan", y los acercó: "estos niños quieren saludarlo, señor".

El que se parecía a Chabelo habló. Su voz era "ronca, de gente mayor, horrible, Maricarmen, horrible". Y era él, no cabía duda, la estatura, la cara, los gestos, y no era él al mismo tiempo, me explicó mi hermana a su manera. Salió del asombro primero Ana, el primo seguía en shock, le arrebató la libretita, "para Benito, por favor", y así poder irse de una vez. El hombre le preguntó si quería uno, le contestó que no. Llegó el auto, les sonrió a los dos y antes de subir, con la voz que le conocían de la tele, lanzó un "hasta la próxima, mis cuates", lo cual los noqueó más. Iban de regreso y papá los encontró en la esquina. Ahí mismo los regañó. Ahí mismo advirtió que el primo estaba en otra parte. Ahí mismo Benito decidió dejar de usar pantalones cortos, de mirar el programa y ahí mismo quedó toda su infancia privada de cualquier poder que lo redimiera de la realidad.

—Así que tienes un secreto.

—Sí, mamá, y la fantasma dice que no es bueno.

—¿Tener secretos o ese secreto? —abandonando cualquier intención de seguir redactando, optó por ponerle atención.

—Ese secreto, mamá.

—¿Cuál es?

Tardó unos segundos en contestar, en su cara se refugió un momento de cavilación que hasta hoy no he podido hurgar a profundidad. Sus ojos tan vivos ahora parecían algo embrollados.

—Tengo una serpiente.

Lo soltó como si se le fuera un trozo de vida. Nuestra cara debió ser muy elocuente y mamá sonrió, relajada.

—¿Dónde? Pintada en la pared de la habitación, en algún libro, en una cajita —seguro un gusano que dimensionó en culebra—. Sabes bien que no puedes tener una víbora en casa.

—No está aquí, me la cuida Matías.

—¿El tío de Monika? ¿Será la boa?

—No, esa es de ella. La mía es chiquita y él la esconde en su cuarto. Cuando jugamos a las escondidas me la enseña, porque es nuestro secreto, él ya no puede tener otra en casa. Es rara, diferente a las otras que nos ha mostrado Lola, pero es simpática, cuando la acaricio se pone contenta y se levanta. Matías la detiene entre sus piernas siempre para que no se escape o me lastime. A veces, cuando la acaricio mucho,

mucho, suelta un veneno blanco. La primera vez me asusté, pensé, voy a morirme, el veneno mata gente. Él se rio, "este no hace nada", y me limpió la mano…

Mi madre le tapó la boca con los dedos. Se hizo un silencio escandaloso que nos gritaba cosas y se llevaba el color, las emociones. Las palabras se atascaron en algún lado, por unos segundos las tres caímos en un pasadizo del vértigo buscando, durante la caída, un instante para liberarnos de la confusión, un instante al que hay que asirse para recuperar algo que se sabe perdido o a punto de. Cuando tocamos el fondo de las palabras de Ana, mi madre me soltó una bofetada negándose a aceptar lo evidente. Y en medio del ardor, de mi desconcierto, la escuché decir:

—Qué fantasma ni qué nada, ahora mismo vamos para allá y lo aclaramos —al tiempo que me soltó una mirada aturdida acompañada de un: Y tú, tú ¿dónde estabas?

En qué momento salimos a la calle rumbo a la casa siniestra, no recuerdo. Existe en desfase o una ausencia, entre la cachetada y el tiempo que se desbocaba afuera. Nos cogía a las dos de la mano, sus ojos enrojecidos, la angustia atorada necesitaba certezas. Su rostro en llamas como si se supiera en un mundo carnicero. Debió pensar, en ese breve trayecto, que las atrocidades que redacta para sus artículos no solo existían allá en las latitudes de la otra miseria humana. Timbró varias veces. Como demoraban, golpeó la puerta con furia. Perdió sus límites porque se aferraba a una esperanza. Abrió uno de los muchachos, Juan, el mayor; Agustín venía bajando las escaleras. Nos introdujimos hasta el recibidor sin ningún tacto. Observó el interior de la vivienda, yo igual, quizá nos sorprendimos de su normalidad, idéntica a cualquier hogar de la época, un poco oscura, nada más.

Por fin nos soltó. Ana se refugió detrás de mí.

—¿Dónde está? Díganme, ¿dónde está la tal fantasma? —gritó un poco fuera de sí y nos asustó. Juan quiso controlarla y lo empujó contra la pared—. ¡Que me digan dónde está!

Temerosa, mi hermana apuntó hacia arriba de las escaleras.

—Muéstrame.

La arrastró consigo. Fui detrás de ellas y los muchachos intentaron detenerla. Ya había aparecido Luis, el tercer hermano. No la contuvieron. Ana señaló una habitación al final del pasillo. Mamá quiso llevarla consigo, Juan la detuvo enérgico, nos tomó de las manos y nos condujo hasta el recibidor. Alcancé a ver a mi madre detenerse frente a la puerta.

Me veo aún sentada en la estancia de la enorme casa, sin soltar la mano de Ana quien rehusó a ir a jugar con Agustín en el porche para distraerla. Las dos estábamos pendientes de que mamá descendiera por esas escaleras con la cordura intacta. El mayor de los muchachos se desplazaba nervioso, no quiso subir ni hacer nada a pesar de que la escuchó gritar un "no es cierto", un "no es posible". Después el llanto, solo eso, un llanto estremecido, devorado a momentos por sollozos. Los suspiros, las lágrimas, las palabras eran de mi madre únicamente, a la fantasma no la oímos emitir ni un quejido ni un lamento.

Mi padre apareció una media hora más tarde o quizás antes, no puedo precisarlo. El tiempo se dislocó, se alargó indefinible entre nosotros como una serpiente perpleja. Juan debió llamarlo de inmediato cuando le di el número. Intercambiaron algunas palabras en la entrada de la casona. Ana quiso ir a su encuentro, la detuve. Él pasó a un lado de nosotras, no se demoró en mirarnos siquiera. Con premura fue por mi madre. Agustín se sentó al lado de Ana, que seguía sin comprender qué nos había eclipsado el día de repente.

—¿La viste, a la fantasma?

—Sí —recuerdo que dijo bajito y mirando al piso.

—Es bonita, ¿verdad?

—Muy linda —fue cuando levantó la cabeza y sonrió un poco.

—No te preocupes, tu mamá no la va a poder ver ni hacerle nada.

—¿Por qué? —interrumpí con desconcierto.

—Porque la fantasma decide quién la mira y quién no.

No pude indagar más. Pienso, en este instante, a qué se debió esa parálisis de conjeturas, de decisión. Quizá pude actuar de otra manera, desafiar a Juan o a Luis, agotar con preguntas al pequeño hasta sacarle la verdad.

Mi padre bajó abrazando a mamá, la histeria quedó arriba en el pasillo. Se dirigió al mayor de los muchachos con esa voz húmeda que le conozco:

—Dile a tu papá que luego vengo a platicar con él. Por favor, disculpen, no era su intención. Maricarmen, trae a tu hermana, vamos.

En casa, mis padres y el tío Carlos se encerraron con mi hermana en el despacho. Yo me quedé en la cocina con Lola tomando un chocolate, disimulando mi angustia, mis nervios, mi preocupación y arrugando un pedacito del mantel sin oír nada de lo que decían allá arriba y sin escuchar nada de lo que ella me contaba. Luego vi salir a mi tío enfurecido rumbo a la calle y a mi padre detrás de él.

La noche trajo una relativa calma, desvaneció las voces revueltas, entrecortadas, ininteligibles de afuera junto con las luces de las sirenas de la policía proyectadas sobre las cortinas de nuestra habitación. Ana por fin salió de su mutismo y se metió en mi cama.

—¿Me dejas dormir contigo?

—Sí —me abrazó—. ¿Estás bien? ¿Qué te dijeron?

—Me preguntaron cosas horribles, Maricarmen, horribles. Hoy no quiero contarte —y me abrazó más fuerte.

A partir de ese suceso Ana entendió que la vida inclemente sí existe, y el tiempo carece de morosidad a pesar de que las circunstancias se dilataban a su antojo cuando era niña. Ya no vive sin dimensionar ni habita distintos planos, ni le apetece superponer realidades, le truncaron esa posibilidad. O no del todo. Ella sigue creyendo en los fantasmas, en la fantasma, lo sé porque siempre que le preguntan por ella una enorme sonrisa se cuela en su rostro, esa sonrisa que tenía antes del despertar.

IX

El año de 2017 fue insólito, lo supe desde antes del verano porque se cumplió uno de los tantos pronósticos que vaticinaste, papá, sobre los Estados Unidos: "Ese país acabará quitándose la máscara, reconociendo que es la tienda más grande de entre las demás y asumiéndose como los mejores tenderos". Pasó. Ascendió a la presidencia un empresario loco. Lo primero en vendernos —y se lo compramos— fue la idea de construir muros para detener, como en el medievo, a los invasores, a las pestes, a las desgracias. No lo consiguieron. "Van a seguir reventando bombas, hija, aquí, allá, donde se pueda". En efecto, papá, ahora las lanzan sobre Siria, una guerra que se mira desde la comodidad del hogar y paradójicamente enceguece al público porque nadie pone fin al desastre, con ello ganan dinero. "A los mandatarios les gusta gobernar bajo, contra, en, para, sin, por, hacia, sobre, entre, el miedo"; ahora ya no es Rusia o China el enemigo mayor, papá, su lugar lo ocupa una serpiente de dos cabezas: el poder islámico y Corea del Norte instalados en el *top parade* del horror social, mientras la ONU aprueba, por fin, el "Tratado de prohibición de armas nucleares". ¿El racismo? Imparable como un torrencial veneno que se agita y repta llenando el cuerpo de ignorancia, haciéndonos olvidar que todos somos simples humanos.

El tío Carlos y Lola ya no siguen juntos, pero les debió preocupar que en São Paulo se desatara una ola de frío matando a no pocas personas. Cada cual desde sus selvas personales comparten la angustia de que nos estamos acabando los ecosistemas. Los dos debieron aterrarse por la cantidad de temblores, pues en solo la mitad de ese año hubo sismos por doquier: Fiji, Filipinas, Panamá, Italia, Papúa Nueva Guinea, Guatemala, El Salvador, Honduras y la isla griega de Kos. Los terremotos en México remataron su angustia como un signo inevitable del desasosiego del planeta a pesar de la inmensa solidaridad que suele aparecer cuando de tragedias se trata.

¿Quién dijo que todo futuro es mejor? Las fosas clandestinas se reparten por el mundo, como si fuera un vertedero de basura —¿qué diría el Capi?—, y México da la nota como uno de los países con más altos índices de desaparecidos, secuestros y feminicidios; sí, seguimos siendo muchos y muy violentos. Los atentados, los tiroteos a la orden del día en Egipto, Tailandia, París, Bangkok, Kabul, Alemania, Bogotá, Damasco, Estocolmo; hasta atropellos masivos en Barcelona, la nueva moda del terrorismo.

Se declara el odio a las mujeres en no pocos países al aprobarse leyes que violan sus derechos favoreciendo el maltrato doméstico o el casamiento con niñas. Mi madre continúa su lucha escribiendo contra el tráfico de órganos y la pedofilia en todas sus variantes, sin importarle las amenazas que han caído sobre ella. Es valiente, va sin miedo, a pesar de que a muchos de sus colegas de oficio ya les han agujereado el corazón y descansan bajo tierra por denunciar las atrocidades de este decadente planeta. Por cierto, hubo un eclipse solar visible sobre todo en los Estados Unidos, como para completar nuestro oscuro panorama, y fue acompañado de fuerzas huracanadas llamadas Harvey, Irma y María.

El mundo se cae a pedazos, papá. Se seguirá desmoronando entre tanta situación incontrolable, sorpresiva, cruel. ¿Cómo lo sé? Porque yo me morí en esa estación violenta y desde mi condición de fantasma lo observo todo. Como en este preciso instante miro la manera en que desmantelan mi casa y sacan a la calle, para poner a la venta, mis objetos entrañables. Con frecuencia me pregunté por qué las cosas, las pequeñas cosas domésticas que dormitan en nuestro quehacer cotidiano, cuando intentamos abandonarlas abren con desmesura sus emociones y nos conducen a la añoranza. Lejos de acumular polvo o robar espacio se alzan como presencias indispensables, coleccionando los ecos familiares donde continuamos existiendo de manera inmóvil en sus recuerdos. Sí, manifestándonos en vibraciones eléctricas, erizando la piel de quien los toca, o como rumores ensombrecidos que se deslizan por las habitaciones propias, ahora ajenas, en donde hemos vivido. No queremos el olvido y solo podemos ser eternos en esos pedazos de memoria que los objetos custodian. Pero ¿si ya no están? ¿Si no los distingo al levantarme? Hay que aprender a desprenderse, dicen, yo no puedo, papá, sigo sin acabar de despedirme, anclada aquí haciendo recuento, no solo de las atrocidades vividas sino de lo que ya no fue, de lo que ya no fui. Anhelaba ser una sombra como tú y no una fantasma. Me hubiera gustado morir en invierno y no al final de este verano húmedo, duro, escandaloso.

Una joven merodea mis pertenencias con intenciones de comprar la Olympia naranja. Decide acercarse y abre con extremo cuidado la cubierta. Encontró el truco y no la forzó. La chica me agrada, papá, tiene buen trato hacia las cosas; si es inevitable, que se la quede. Inspecciona el teclado, seguro ya percibió el desgaste de las letras. Gira el rodillo, funciona perfecto, siempre lo mantuve bien engrasado como me enseñaste. Mueve la palanca y al hacerlo suena la campanita que me devuelve montones de vivencias que ahora no voy a desatar. Mi hermana y mi madre atienden a otras personas que están

seleccionando discos y libros, voltean instinti-
vamente recordando con esa nostalgia que nos
traen los sonidos de las viejas épocas.

—¿Puedo sacarla del estuche?

Ana, desde el otro extremo, le contesta:

—En un momento estoy contigo. Espera.

La chica, impaciente, eso ya no me gusta
de su personalidad, intenta sacar la Olympia de
ahí, le cuesta trabajo porque no ha liberado el
pequeño seguro que instalaste en la parte de abajo para que cuando transportaras el estuche no
se abriera de pronto dejando caer la máquina al
piso. No lo consigue. Tal vez eso la desanime.
Llama a mi hermana otra vez, mi madre sigue
negociando con una señora que regatea por dos
floreros.

—Está trabada.

—No, tiene un seguro —buscándolo—, mi
hermana me lo comentó un día.

Tampoco logra dar con él. Nunca me puso
atención, espero que no la fuerce y quiebre alguna parte. La joven se desespera, como si llevara
prisa, ya entenderá que esta no conduce sino al
infierno de la frustración o a la muerte en algunos casos.

—Me interesa mucho. ¿Por qué no la llamas
y le preguntas?

—Ella murió...

A la joven se le traba el rostro al escucharlo
justo cuando Ana libera del seguro a la Olympia.

Al verte ahí, Ana, sonreír porque lo conseguiste, quisiera decirte que morir así de pronto fue horrible, horrible, no pude despedirme de nadie, ni de mí misma. Sales un día de tu casa con esa prisa innecesaria, porque hay que movilizarse de manera absurda y cumplir con unas expectativas sacadas de algún manual de éxito mal diseñado. Cierras la puerta dejando a tus objetos dormidos conviviendo con tu aroma, con los pensamientos atascados en el sofá o en el escritorio, con algunas esperanzas deambulando entre las habitaciones o durmiendo en la cama; y la gotera del lavabo, que te prometiste arreglar, será, por suerte, el único sonido alimentando tu espacio hasta que alguien venga a ocupar la ausencia con nuevas cosas.

Sí, la vida no tiene argumento, nacemos al mundo sin saber por qué y nos vamos de él del mismo modo.

Ana saca del estuche la Olympia, al hacerlo descubre una pequeña carpeta de piel pegada a la base, la misma donde tú, papá, guardabas hojas blancas o los avances de algún cuento, era tu compartimento secreto. Cuando me la diste, poco antes de convertirte en sombra, me revelaste esa peculiaridad. Mi hermana está emocionada, ha encontrado el manuscrito. Me estremezco al observarla hojear mis palabras, cuántos años de escritura le dediqué a nuestra pequeña historia, modesta historia. La chica continúa verificando la máquina de escribir como si se le fuera la vida en ello, una coleccionista compulsiva, supongo. Ana, por el contrario, se sienta en una de aquellas sillas estampadas de flores de la vieja cocina familiar, nunca entendieron por qué quise conservarlas si "son espantosas". Poco comprenden los rumores del pasado que habitan en ellas, la cantidad de tiempos que resguardan conviviendo de manera simultánea en los respaldos donde recargamos nuestras alegrías, enfados y tristezas. Pero ella no puede ver la vida ni su transcurrir como la veo yo ahora.

Lee entrecortadamente algunos fragmentos de ese incipiente libro, el único que no devoró el fuego, el único.

No pude aniquilar mis sueños como tú, papá, no pude, y dejé un pequeño rastro sin cenizas. Ana se muerde el puño mientras revisa las páginas, los comentarios del tío Carlos vuelven con su dramático peso y descubro en ella ese gesto idéntico al tuyo cuando querías tragarte tu desolación.

—¿Cuánto por ella?

Mi madre se aproxima presurosa cuando distingue que están tratando el precio de la Olympia.

—No se vende.

—Por qué la exhiben si no lo está.

—Debió ser un error. No se vende.

La chica, molesta, abandona nuestra cochera. Seguro hubiera sido muy infeliz la pobre máquina de escribir con esa joven, como lo fueron las parejas que tuve, celosas de que acariciara más las letras inamovibles de la Olympia naranja que a sus cuerpos adormecidos. Es curioso cómo buscamos un culpable para las catástrofes personales sean del orden que sean. Quizá por eso recuerdo el terrible final de la estigmatizada boa, no logró huir de su suerte y varios años después de su fuga la encontró un vecino —seguro el hombre regordete con cara de niño— y le dio tres balazos. Me imagino que Monika no pudo reclamar a su mascota, se había ido a vivir con su padre, por fin, al otro lado del mar.

Ana permanece quieta en la silla de la cocina en medio de mis objetos que ahora formarán parte de otras historias e irán a la casa de otras personas. Le entrega a mamá las hojas, las reconoce enseguida.

—Con que aquí estaban, cuánto las busqué.

—¿Lo encontramos?

La Olympia naranja vuelve a su estuche. Colocan el seguro y la cubren con cuidado. Cierran el cancel de la cochera, hoy no habrá más venta ni regateos ni desprendimientos. Las extraño, me extrañan. Mas confío, papá, que un día comprenderán que ellas también se merecieron una fantasma que habita muchos tiempos a la vez, y les reconforte reconocerme como

esa aparición fantasmal que les advirtió sobre
el secreto en ese verano escamoso que intercaló
realidades orillándonos a evadirnos o a mirar.

Índice